ACCESO GRATIS ***a la Lectura en la Nube***

Para visualizar el libro electrónico en la nube de lectura envíe junto a su nombre y apellidos una fotografía del código de barras situado en la contraportada del libro y otra del ticket de compra a la dirección:

ebooktirant@tirant.com

En un máximo de 72 horas laborables le enviaremos el código de acceso con sus instrucciones.

La visualización del libro en **NUBE DE LECTURA** excluye los usos bibliotecarios y públicos que puedan poner el archivo electrónico a disposición de una comunidad de lectores. Se permite tan solo un uso individual y privado.

IDENTIDAD ELECTRÓNICA:
marco jurídico e implicaciones en el Derecho internacional privado

IDENTIDAD ELECTRÓNICA:
marco jurídico e implicaciones en el Derecho internacional privado

ANTONIO MERCHÁN MURILLO

Prólogo:
JOSÉ JUAN CASTELLÓ PASTOR

tirant lo blanch
Valencia, 2026

En caso de erratas y actualizaciones, la Editorial Tirant lo Blanch publicará la pertinente corrección en la página web www.tirant.com.

Director de la colección
CUADERNOS DE TRANSFERENCIA DE CONOCIMIENTO
ALFONSO ORTEGA GIMÉNEZ
Profesor Titular de Derecho internacional privado de la Universidad Miguel Hernández de Elche

© TIRANT LO BLANCH
EDITA: TIRANT LO BLANCH
C/ Artes Gráficas, 14 - 46010 - Valencia
TELFS.: 96/361 00 48 - 50
FAX: 96/369 41 51
Email: tlb@tirant.com
www.tirant.com
Librería virtual: www.tirant.es
DEPÓSITO LEGAL: V-689-2026
ISBN: 979-13-7021-651-1

Si tiene alguna queja o sugerencia, envíenos un mail a: *atencioncliente@tirant.com*. En caso de no ser atendida su sugerencia, por favor, lea en *www.tirant.net/index.php/empresa/politicas-de-empresa* nuestro procedimiento de quejas.

Responsabilidad Social Corporativa: *http://www.tirant.net/Docs/RSCTirant.pdf*

Este libro es parte del Proyecto TED2021-129307A-I00 financiado por MICIU/AEI/10.13039/501100011033 y por la Unión Europea NextGenerationEU/ PRTR, de cuyo equipo de investigación es miembro el/la autor/a.

Para Alicia, para Carla, para mis padres...
Sin ellos nada de esto es posible

Índice

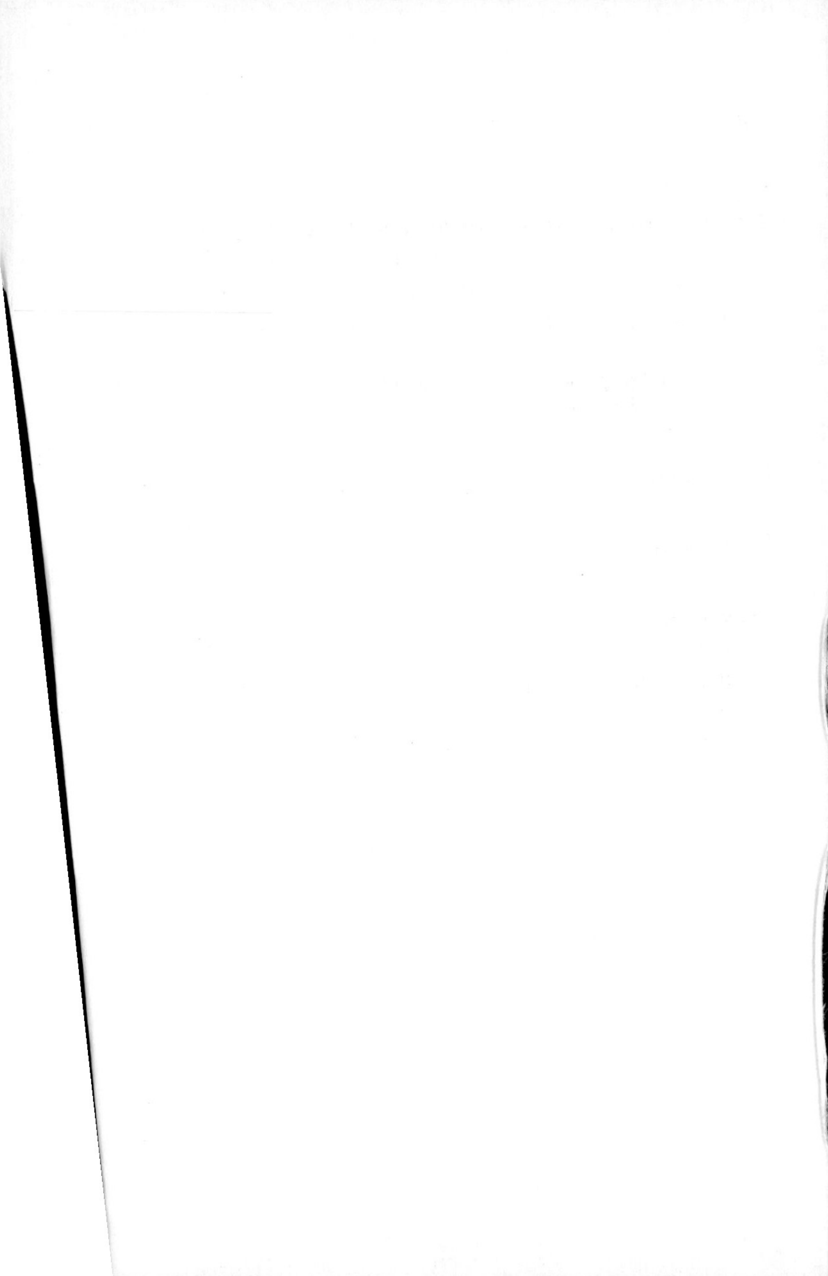

Capítulo IV

Prólogo

La obra que tiene el lector en sus manos aborda una cuestión emergente y cada vez más relevante: la identidad electrónica. El análisis se realiza desde una perspectiva rigurosamente jurídica y, en particular, desde el Derecho internacional privado, disciplina directamente concernida por los profundos cambios que la digitalización del tráfico jurídico está produciendo en todo el mundo. En consecuencia, el elemento extranjero será cada vez más frecuente en un entorno también más globalizado.

La identidad ha sido siempre un presupuesto esencial del Derecho. Toda relación jurídica parte de la necesidad de identificar a los sujetos que intervienen en ella, atribuirles capacidad, vincularlos a determinados actos y proyectar esos actos en el tiempo y en el espacio. Durante siglos, el Derecho ha operado sobre la base de una identificación esencialmente territorial y presencial, apoyada en documentos físicos, registros públicos y mecanismos de control anclados en el Estado. Sin embargo, la progresiva digitalización de las relaciones jurídicas ha alterado de manera sustancial ese esquema. Hoy, una parte creciente del tráfico jurídico se desarrolla sin presencia física, mediante actuaciones realizadas a distancia, en entornos electrónicos y, con frecuencia, con proyección transfronteriza inmediata.

Es precisamente aquí donde se sitúa el núcleo de la presente obra. Se parte de la constatación de que la identidad electrónica ha dejado de ser un mero instrumento técnico auxiliar para convertirse en un elemento estructural del tráfico jurídico contemporáneo, capaz de producir efectos jurídicos plenos. Su incidencia es directa en cuestiones clásicas del Derecho internacional privado, como la determinación de la competencia judicial internacional, la ley aplicable o el reconocimiento de situaciones jurídicas constituidas en otro Estado.

La obra evita, de manera consciente, dos riesgos frecuentes en la literatura reciente: de un lado, reducir la identidad electrónica a un problema puramente tecnológico o administrativo, ajeno a las categorías tradicionales del Derecho; de otro, forzar una asimilación acrítica entre identidad electrónica e identidad civil clásica, como si se tratara de realidades plenamente equivalentes. Por ello, adopta una posición más matizada y, a mi juicio, más productiva: analiza la identidad electrónica como una forma funcional de identificación jurídica, que cumple funciones específicas en el tráfico jurídico y que, precisamente por ello, exige integrarse en el sistema desde una perspectiva dogmática y conflictual.

En el primer tramo de la obra se reconstruye el contexto normativo en el que surge y se desarrolla la identidad electrónica. Este análisis no tiene un carácter meramente descriptivo: pretende mostrar cómo la evolución normativa responde a una necesidad estructural del tráfico jurídico y, con ello, garantizar que los actos realizados a distancia puedan producir efectos jurídicos equiparables a los de los actos presenciales. La progresiva incorporación de mecanismos de identificación electrónica, sistemas de confianza y procedimientos de autenticación responde, en último término, a la exigencia de dotar de seguridad jurídica al entorno digital. De este modo, se explica con claridad cómo el Derecho ha transitado desde soluciones centradas en la firma electrónica hacia modelos más complejos de gestión de la identidad, en los que la identificación del sujeto se convierte en el verdadero eje del sistema.

Este análisis resulta especialmente valioso para el internacionalprivatista, porque pone de relieve un fenómeno que afecta de forma directa a la circulación transfronteriza de situaciones jurídicas. Cuando la identidad de una persona puede acreditarse electrónicamente y dicha acreditación es reconocida por un ordenamiento jurídico, se abren nuevas posibilidades, pero también nuevos riesgos, para la eficacia extraterritorial de los actos jurídicos. El libro no se limita a señalar estas transformaciones: las sitúa en el marco más amplio de la construcción de la confianza jurídica entre Estados y de la necesidad de articular mecanismos de reconocimiento que permitan la circulación de actos y situaciones en un entorno digital.

El núcleo dogmático de la obra se despliega al abordar directamente la identidad electrónica como categoría jurídica. Aquí se aprecia, con especial claridad, la formación y la sensibilidad teórica del autor: el análisis no parte únicamente de la técnica, sino de la función jurídica de la identidad, y se pregunta para qué sirve la identidad en el Derecho. En esencia, sirve para individualizar al sujeto, atribuirle capacidad, vincularlo a un acto y permitir que ese acto despliegue efectos frente a terceros. A partir de estas funciones clásicas, se examina en qué medida la identidad electrónica puede cumplir, con matices y límites, esas mismas funciones en el entorno digital.

Resulta de especial interés la reflexión sobre la relación entre identidad electrónica y datos personales, así como la distinción entre diferentes planos de la identidad. El prof. Merchán muestra que, en el entorno digital, la identidad no se agota en una única manifestación, sino que puede proyectarse de forma funcional en distintos contextos, según los atributos relevantes en cada caso. Esta construcción es particularmente sugerente desde la perspectiva del Derecho internacional privado, porque pone de manifiesto que la identidad electrónica no opera de manera abstracta, sino siempre vinculada a un determinado contexto jurídico y a una finalidad concreta.

El análisis se enriquece, además, con el estudio de los sistemas de gestión de la identidad y de los modelos emergentes de identificación. Sin adentrarse en explicaciones técnicas innecesarias, el autor muestra al jurista cómo estos sistemas condicionan la forma en que la identidad se articula jurídicamente. De este modo, se comprende que la identidad electrónica no es un dato neutro, sino el resultado de una determinada arquitectura jurídica y organizativa, con implicaciones relevantes para la atribución de responsabilidad, la prueba de los actos y la protección de los derechos de los sujetos implicados.

Desde la perspectiva del Derecho internacional privado, uno de los capítulos más relevantes de la presente monografía es, sin duda, el dedicado al reconocimiento jurídico transfronterizo de la identidad electrónica. El prof. Merchán se mueve aquí con especial soltura en un terreno que constituye el corazón de nuestra disciplina: el reconocimiento de identidades electrónicas emitidas en otro Estado plantea, como cuestión clásica, determinar en qué condiciones debe reconocerse una situación jurídica creada en el extranjero, qué papel desempeña la equivalencia funcional, cuáles son los límites derivados del orden público internacional y hasta qué punto cabe hablar de reconocimiento automático en un contexto de profunda heterogeneidad normativa, todo ello a la luz de las normas aplicables.

Estas cuestiones se abordan con un enfoque sistemático y prudente. Lejos de proponer soluciones simplistas, Antonio Merchán identifica los distintos niveles en los que puede operar el reconocimiento y analiza las dificultades prácticas derivadas de la falta de un marco multilateral uniforme. El lector encontrará aquí una reflexión valiosa sobre la asimetría existente entre el ámbito intraeuropeo y el extracomunitario, así como sobre el papel que pueden desempeñar determinados instrumentos de cooperación jurídica internacional. El análisis no se limita a constatar los problemas, sino que ofrece criterios interpretativos que pueden resultar de gran utilidad para jueces y operadores jurídicos.

La obra se completa con un examen de las implicaciones prácticas de la identidad electrónica en ámbitos particularmente sensibles del Derecho privado internacional. El Dr. Merchán analiza, entre otras cuestiones, la relación entre identidad y residencia electrónicas, la posible incidencia de la identificación electrónica en aspectos como la capacidad digital y su papel en la atribución de actos realizados a distancia. Estas reflexiones son relevantes en un contexto en el que la determinación de la residencia habitual, la valoración de la capacidad o la prueba de la voluntad se ven condicionadas por actuaciones realizadas en entornos electrónicos.

Con todo, la presente monografía constituye una aportación sólida y oportuna al estudio del Derecho internacional privado en la era digital. A nuestro juicio, su mérito radica en integrar una realidad nueva en las categorías clásicas del sistema, sin renunciar al rigor dogmático ni a la coherencia metodológica. La identidad electrónica aparece no como un elemento disruptivo que obligue a abandonar las bases del Derecho internacional privado, sino como un fenómeno que exige reinterpretarlas y actualizarlas para seguir cumpliendo su función ordenadora del tráfico jurídico internacional.

Por ello, estamos ante una obra llamada a convertirse en referencia obligada para quienes se interesan por la evolución del Derecho internacional privado en un contexto de digitalización creciente. Tanto el investigador como el operador jurídico encontrarán en estas páginas un análisis profundo, bien construido y jurídicamente relevante en torno a la identidad electrónica.

Valencia, 8 de enero de 2026.

José Juan Castelló Pastor
Prof. Titular de Derecho internacional privado
Universitat de València

Resumen

La presente obra aborda la identidad electrónica en el marco del Derecho internacional privado, partiendo de la constatación de que la transformación digital ha alterado profundamente las formas de identificación y autentificación de personas físicas y jurídicas, generando nuevas categorías jurídicas, como la residencia electrónica o las billeteras de identidad digital, que desafían los esquemas tradicionales de localización, competencia y reconocimiento de actos.

Se analizan en detalle los instrumentos europeos más relevantes, desde el Reglamento (UE) 910/2014 (eIDAS) hasta su reforma por el Reglamento (UE) 2024/1183, que introduce la *European Digital Identity Wallet*, y se examinan sus implicaciones para la libre circulación y la confianza transfronteriza en el mercado único digital. El análisis se amplía al plano internacional, incorporando los avances llevados a cabo en UNCITRAL, en materia de contratación electrónica e identidad digital, así como las propuestas y convenios de la Conferencia de La Haya, en el ámbito del reconocimiento de documentos y actos jurídicos.

La obra se detiene en cuestiones clásicas del Derecho internacional privado reinterpretadas a la luz de la digitalización: la competencia judicial en procesos mediados por identidades electrónicas, la determinación de la ley aplicable en entornos de contratación automatizada, la validez formal de los testamentos electrónicos, los efectos de la identidad digital en el matrimonio y la sucesión internacional, o la creciente tensión entre la autonomía de la voluntad y los límites derivados del orden público internacional en el ciberespacio. El resultado es un panorama que combina rigor académico con propuestas prospectivas, orientadas a la consolidación de un marco jurídico capaz de garantizar seguridad, interoperabilidad y respeto a los derechos fundamentales en la era digital.

Introducción

El despliegue global de las tecnologías digitales ha transformado, en términos estructurales, las formas en que las personas interactúan, se identifican, contratan, ejercen sus derechos y acceden a la justicia. En este nuevo escenario, la identidad electrónica ha dejado de ser una herramienta auxiliar o un mecanismo técnico para convertirse en una institución jurídica con implicaciones sustantivas, procesales y transfronterizas. Su emergencia desafía no solo las categorías tradicionales del Derecho civil, administrativo o procesal, sino también los presupuestos metodológicos sobre los que se construyen el Derecho internacional privado y el Derecho de la integración.

Este libro se inscribe en ese debate en construcción. Lo hace desde una perspectiva sistemática, jurídica y crítica, con especial atención a los desafíos que plantea el reconocimiento y la eficacia de las identidades electrónicas más allá de las fronteras del Estado emisor. No se trata, por tanto, de una obra exclusivamente centrada en el Reglamento (UE) n.° 910/2014 (Reglamento eIDAS) o en la inminente reforma introducida por eIDAS 2, sino de una reflexión más amplia sobre el estatuto jurídico de la identidad electrónica, sus funciones normativas y su papel como criterio de conexión y elemento estructural en el entorno digital.

Desde esta óptica, el libro parte de una constatación esencial: en el contexto actual, la identidad electrónica no es un simple reflejo técnico de la identidad física, ni una modalidad de firma digital ampliada, sino una proyección jurídica autónoma de la personalidad digital. Esta autonomía se manifiesta en múltiples planos: en la posibilidad de otorgar consentimiento electrónico válido, en la capacidad para producir efectos jurídicos transfronterizos, en la atribución de derechos subjetivos que se ejercen en entornos digitales y en la configuración de vínculos jurídicos con relevancia internacional. El punto de partida es, por tanto, profundamente dogmático, pero se proyecta con ambición práctica: entender el papel que puede y debe desempeñar la identidad electrónica en un sistema jurídico internacional en transformación.

La obra se estructura en torno a cuatro grandes núcleos temáticos. En primer lugar, se analizan los fundamentos conceptuales y normativos de la identidad electrónica, su tipología, funciones y marco de reconocimiento dentro del ordenamiento jurídico de la Unión Europea. En segundo lugar, se estudian los efectos transfronterizos de los mecanismos de identidad electrónica y de los servicios de confianza, con atención especial al Derecho internacional privado, a la práctica registral, al ámbito contractual y a los procesos de autenticación administrativa y jurisdiccional. El tercer bloque se dedica a examinar el reconocimiento extracomunitario de identidades electrónicas, la fragmentación normativa global y la falta de equivalencias funcionales en los ordenamientos no europeos. Finalmente, se exploran los instrumentos multilaterales relevantes y las posibles vías de armonización internacional, con especial atención a los trabajos de la CNUDMI, la OCDE, el MERCOSUR y las iniciativas regionales que buscan consolidar marcos de interoperabilidad jurídica más allá de lo puramente técnico.

El enfoque adoptado en el libro combina el análisis doctrinal riguroso con una lectura funcional del Derecho positivo. Se identifican vacíos normativos, se valoran las soluciones prácticas en el plano del reconocimiento, la adaptación y el orden público internacional, y se contrastan modelos jurídicos dispares: el europeo, con su apuesta por la confianza mutua y la interoperabilidad regulada; el anglosajón, más fragmentario y descentralizado; el latinoamericano, aún dependiente del soporte notarial o administrativo; y los marcos asiáticos, con un fuerte componente de control estatal.

Especial atención merece el examen del papel que juegan los prestadores cualificados de servicios de confianza, la infraestructura técnica de la identidad digital, la supervisión administrativa y la creciente utilización de estas identidades en entornos descentralizados, incluyendo aplicaciones basadas en blockchain, inteligencia artificial o contratos inteligentes. El libro no pretende anticipar una teoría unificada de la identidad digital, pero sí ofrecer una arquitectura jurídica plausible, coherente con los principios del Derecho internacional privado y con las exigencias del entorno digital.

El lector encontrará en estas páginas una propuesta académica que no elude la complejidad técnica ni la incertidumbre jurídica del objeto de estudio. Por el contrario, parte de esa complejidad para construir un marco interpretativo que permita comprender, sistematizar y proyectar jurídicamente la identidad electrónica en contextos cada vez más dinámicos, globalizados y tecnológicamente mediados. Esta obra es, en definitiva, una invitación al diálogo interdisciplinar y una contribución doctrinal al esfuerzo colectivo de adaptar el Derecho a los retos del siglo XXI.

Capítulo I

Contexto normativo de la identidad electrónica

I. INTRODUCCIÓN

Obsérvese cómo va cambiando el mundo, por ejemplo, procedimientos cada vez más electronificados, aparición de la identidad electrónica y con ella la e-residencia, la capacidad obrar, donde quizás podría hablarse la capacidad digital, el acceso electrónico a procesos transfronterizos de manera electrónica, las *online dispute resolution*, la necesidad de solicitar la realización de una prueba, que puede ser electrónica, tanto la solicitud como la prueba en sí, pero en ningún caso se encuentra definida en nuestro ordenamiento jurídico. Es más, ni siquiera hay una definición de lo que es un dato. En este contexto, puede verse cómo la importancia de las identidades electrónicas ha crecido exponencialmente desde hace más de una década. El desarrollo de las redes de comunicación electrónica ha planteado la necesidad de determinar "quién es quién" en Internet, para acceder a los servicios y la realización de transacciones comerciales.

Como resultado, la identidad electrónica se ha convertido en un factor clave para el crecimiento de la economía de todos los países, en el caso de Europa, se ha convertido en un elemento esencial para la realización de un mercado único digital, que está siendo objeto de un mayor desarrollo, dentro el Marco para una Identidad Digital Europea, que ha comenzado a producirse a través de la propuesta de modificación del Reglamento eIDAS, de 3 de junio de 2021, realizada por la Comisión Europea.

En este contexto, puede afirmarse que la identificación electrónica constituye no sólo un habilitador fundamental para el despliegue de servicios transfronterizos, sino también un elemento indispensable para el aumento de las actividades empresariales en Europa. La Agenda Digital[1], las tecnologías de identidad electrónica y los servicios de autenticación resultan esenciales para las transacciones en internet, tanto en el sector público como en el privado.

Actualmente, la forma más habitual de autenticar es utilizar contraseñas. Esto puede resultar suficiente

---

1 COMISIÓN EUROPEA, Comunicación de la Comisión al Parlamento Europeo, al Consejo, al Comité Económico y Social Europeo y al Comité de las Regiones Una Agenda Digital para Europa (COM/2010/0245 final), Bruselas, 19 de mayo de 2010.

para muchas aplicaciones, pero va aumentando la necesidad de implementar soluciones más seguras y/o más fiables. Como las soluciones serán múltiples, es necesario que la industria, respalde por medidas que, en particular, garantice la interoperabilidad sobre la base de unas normas y de unas plataformas de desarrollo abiertas. La identidad electrónica es una preocupación primordial para empresas, gobiernos e individuos de todo mundo. Todos tratan de establecer una colaboración que implique tanto a los proveedores de identidad y otros proveedores de servicios.

Se trata de buscar la verificación de la identidad de partes alejadas que tratan, por ejemplo, de acceder a una base de datos en línea que contienen información confidencial, para realizar una transferencia en línea de fondos con cargo a una cuenta, o que han firmado un contrato electrónico, autorizado a distancia el despacho de un producto o enviado un correo electrónico. Si bien los participantes en muchas transacciones de bajo riesgo, realizadas en línea, tienden a confiar en que están tratando con una persona o entidad concreta, a medida que aumenta la confidencialidad o el valor de la transacción aumenta también la importancia de garantizar la disponibilidad y fiabilidad de información exacta, acerca de la identidad de la parte que se encuentra a distancia, a fin de tomar una decisión fundada en la confianza[2].

En esta realidad, constituida por las tecnologías de la información, interesa todo lo relacionado con la identidad de las partes que emiten su voluntad y la confidencialidad de sus datos personales, la existencia y validez de sus declaraciones de voluntad, la autoría e integridad de sus mensajes electrónicos y el no rechazo del mensaje en su origen y destino, todo encerrado en su seguridad y validez jurídica y en la existencia del documento electrónico, así como su autenticación a través de la firma electrónica; pues, todo ello va a constituir la prueba electrónica en sí. En todo lo anterior resalta la importancia de la identidad electrónica, la cual es total para garantizar: que la persona que va a firmar es quien dice ser, ya que puede probarlo, así como la capacidad de obrar y la libertad de la actuación, a la hora de asumir el contenido del documento. Por ello, nuestra intención es centrarnos en identidad electrónica, concepto emergente, a veces no entendido o pasado por alto.

---

2 UNCITRAL, Panorama general de la gestión de la identidad digital: Documento de antecedentes presentado por el Identity Management Legal TaskForce de la American Bar Association, Viena, 29 de octubre – 2 de noviembre, 2012, p. 6.

II. CONTEXTUALIZACIÓN NORMATIVA DE LA IDENTIDAD

Internet, si tenemos en cuenta que es un espacio donde es posible ponerse en contacto con gente (para charlar, estudiar, trabajar, hacer negocios; en definitiva, para encontrar información, incluso donde encontrar el amor o disfrutar y jugar, leer, escuchar música, etc.), podemos comprobar que es como una "ciudad", global. La más grande del mundo, moderna, con millones de habitantes, pero invisible.

Si tenemos una nueva "ciudad", necesitamos conocerla y saber cómo ser un buen ciudadano, lo que no es fácil, porque Internet, nuestra "ciudad" cambia. Direcciones prohibidas donde antes se podía circular, canales que crecen y cambian rápidamente. Todo casi sin darnos cuenta. Los que viven en Internet, considerémoslos ciudadanos digitales, tienen que aprender normas de comportamiento apropiadas y la responsabilidad en materia de uso de la tecnología.

En ese contexto lo primero que debemos tener en cuenta son los principios básicos que rigen la digitalización o la electrónificación:

a) Principio de equivalencia funcional: constituye el núcleo sobre el que gravita el reconocimiento jurídico de los actos realizados en el comercio electrónico. Sin su aplicación, carecería de eficacia. Se formula bajo la idea de que los actos jurídicos electrónicos poseen una equivalencia funcional con los actos jurídicos escritos.

b) Principio de inalterabilidad del derecho preexistente: todas aquellas reglas dirigidas a la regulación del comercio electrónico no supongan una modificación sustancial del Derecho existente. No obstante este hecho no debe impedir que las normas deban ser interpretadas y adaptadas.

c) Principio de neutralidad tecnológica: las nuevas normas que rigen el comercio electrónico abarquen con sus reglas no sólo la tecnología existente sino también toda tecnología futura sin que haya necesidad de modificar estas normas

d) Principio de la buena fe: principio que encuentra su justificación en la idea de que la ignorancia, ante la renovación tecnológica, genera desconfianza

e) Libertad contractual mantenida en el nuevo contexto electrónico: autonomía de la voluntad (DÍEZ-PICAZO "la idea de contrato y de obligatoriedad del contrato encuentran su fundamento en la idea misma de persona y en el respeto de la dignidad que a la persona le es debida. Ello implica el reconocimiento de un poder de autogobierno de los propios fines e intereses o de un poder de autorreglamentación de las propias situaciones y relaciones jurídicas al que la doctrina denomina "autonomía privada" o "autonomía de la voluntad").

En relación con este principio se ha observado un cambio de terminología en las normas pasando de seguridad a fiabilidad:

a) El término utilizado antes era certificación; es decir, seguridad: induce dependencia, en relación con el origen o la conexión. Ahora, el primero espera una buena conducta. Esto nos va a llevar a problemas de prueba (por ejemplo, en relación a la probatio diabólica, en la propuesta de Directiva sobre responsabilidad de los sistemas de IA).

b) La fiabilidad como medio nos lleva a una probabilidad de buen funcionamiento. Lo que nos sitúa en la confianza. Desde el punto de vista de la transacción, cuando hablamos de fiabilidad, nos referimos a que un dispositivo trabaje correctamente durante un tiempo y en las condiciones en que se encuentre el servicio, de manera que quien una transacción tendrá que fijarse en los posibles riesgos. Por consiguiente, identificamos la fiabilidad como un conocimiento del estado del sistema.

c) La fiabilidad nos lleva a la confianza: Se pretende atraer la atención del usuario, creando un clima de confianza en un entorno determinado. De esta forma, se quiere dar a entender como un proveedor de servicios, con sus acciones y sus caracteres, va a conseguir, de Internet, un universo más o menos confiable para las personas.

Junto a los anteriores debe advertirse una estructura propia común a todas las transacciones. Son identificables los siguientes elementos, que pueden ser agrupados en dos apartados: a) Elementos objetivos: que no necesariamente son materiales. Estos elementos son: 1) El mensaje de datos; 2) La norma técnica de estructuración; 3) La firma electrónica; 4) Los sistemas de información; 5) Las redes de transmisión de datos; b) Elementos subjetivos: se comprenden en el mismo los distintos sujetos destinatarios de los mandatos y privilegios legales así como de los derechos y obligaciones contractualmente adquiridos en el marco jurídico del comercio electrónico. Estos son: 1) El iniciador o firmante del mensaje de datos; 2) El destinatario del mensaje de datos; 3) Los intermediarios y proveedores de servicios de certificación de firma electrónica o autoridad de certificación. Con lo comentado, se puede realizar una tarea de determinación y definición de cada uno de los elementos principales involucrados en la transacción electrónica, a la vez que se podrían tratar los múltiples problemas derivados de la dificultad de aplicar los diferentes conceptos y las categorías jurídicas.

Todo lo anterior no tiene sentido sin un marco de interoperabilidad: ¿Por qué? Se trata de que sistemas o componentes de software para intercambiar y utilizar información entre sí, de manera eficiente y sin problemas. En el ámbito de la tecnología de la información, la interoperabilidad es crucial para garantizar que diferentes sistemas, aplicaciones y dispositivos puedan trabajar juntos de manera armoniosa: a) Organizativos: en los procesos de negocio y estructuras internas (por ejemplo, que actores participan y por tanto van a ser sujetos responsables. Por ese motivo, el ámbito personal de las normas es tan importante); b) Semánticos: los datos comparten el mismo significado (por eso las definiciones son tan importantes: para garantizar no un buen nivel de comunicación sino de interpretación); c) Técnicos: conexión de sistemas sean eficientes sin fallos en materia de ciberseguridad (por ejemplo, intercambio de datos); d) Jurídicos: las normas deben ser neutrales tecnológicamente.

a. El primer enfoque: hacia la seguridad con el reconocimiento de la firma electrónica

Por un lado, nos encontramos los trabajos que se han ido desarrollando en la CNUDMI/UNCITRAL a fin de permitir y facilitar el uso de medios electrónicos en las actividades comerciales, fomentando así la electronificación[3] de marco normativo actual. La primera de ellas fue Ley Modelo sobre Comercio Electrónico, en 1996, con objeto de posibilitar y facilitar el comercio por medios electrónicos ofreciendo a los legisladores un conjunto de reglas internacionalmente aceptables encaminadas a suprimir los obstáculos jurídicos y a dar una mayor previsibilidad al comercio electrónico.

En particular, la Ley Modelo tiene la finalidad de superar los obstáculos que plantean las disposiciones legislativas y que no pueden modificarse mediante contrato, equiparando el trato dado a la información sobre papel al trato dado a la información electrónica. Esa igualdad de tratamiento es esencial para hacer posibles las comunicaciones sin soporte de papel y para fomentar así la eficacia en el comercio internacional[4].

---

3 ILLESCAS ORTÍZ, R., *Derecho de la Contratación Electrónica*, Cizur Menor, 2023, p. 31.

4 UNCITRAL, Guía para la incorporación al derecho interno de la Ley Modelo de la CNUDMI sobre Comercio Electrónico, Nueva York, 1999, p. 1.

Esta Ley Modelo se enuncian los procedimientos y principios básicos, a la vez que fundamentales, para facilitar el empleo de las técnicas modernas de comunicación, con objeto de consignar y comunicar la información en diversos tipos de circunstancias, tales como: la no discriminación, la neutralidad respecto de los medios técnicos y la equivalencia funcional, principios ampliamente reconocidos como elementos fundamentales del comercio electrónico[5]. Estos principios se ven reflejados en la enunciación de los requisitos que deben cumplir las comunicaciones electrónicas, para alcanzar los mismos fines y desempeñar las mismas funciones que se persiguen en el sistema tradicional basados en el papel con determinados conceptos, como los de "escrito", "original", "firma", y "documento"[6].

---

5 MADRID PARRA, A., "Contribución de la CNUDMI/UNCITRAL a la regulación del comercio electrónico", *Revista Aranzadi de derecho y nuevas tecnologías,* Nº. 46, 2018, pp. 3-40; ILLESCAS ORTIZ, R., "Los principios de la contratación electrónica", en *Derecho patrimonial y tecnología: revisión de la contratación electrónica con motivo del Convenio de las Naciones Unidas sobre Contratación electrónica de 23 de noviembre de 2005 y de las últimas novedades legislativas* (Coord. Agustín Madrid Parra, María Jesús Guerrero Lebrón), Madrid, 2007, pp. 21-38.

6 Artículos 5 a 10 del Capítulo II "Aplicación de los requisitos jurídicos a los mensajes de datos" de la Ley Modelo sobre Comercio Electrónico (1996).

En concreto, respecto de la firma, en la creciente utilización de técnicas electrónicas de autenticación, en sustitución de las firmas manuscritas de otros procedimientos tradicionales de autenticación, se creó la necesidad de establecer un marco jurídico específico que redujese la incertidumbre de los efectos jurídicos que pueden tener la utilización de medios electrónicos[7]. Se planteó, así, la necesidad de crear un nuevo marco jurídico específico, para reducir la incertidumbre con respecto a las consecuencias legales que pudieran derivarse del empleo de la nueva situación técnica. En este contexto se presenta, en 2001, la Ley Modelo de la CNUDMI sobre Firma Electrónica, con unos principios básicos, que han de ser respetados para obtener una armonización a nivel internacional. Estos principios son: neutralidad tecnológica, no discriminación entre las firmas electrónicas nacionales y extranjeras, la autonomía de las partes y el origen internacional de la Ley[8]. Esta Ley Modelo tiene por finalidad ofrecer unos principios fundamentales que faciliten el empleo de las firmas electrónicas, pero sin

---

7 MADRID PARRA, A.: "Regulación internacional del comercio electrónico: examen comparado de las leyes modelo de UNCITRAL", *Revista Aranzadi de Derecho de las Nuevas Tecnologías*, núm. 2, 2003, págs.15-41.

8 UNCITRAL, *Guía jurídica para la incorporación al derecho interno de la LMFE*, Nueva York, 2002, p. 67.

establecer en si misma todas las normas y reglamentaciones que pueden ser necesarias para aplicar dichas técnicas en un Estado promulgante[9].

Con posterioridad a estas Leyes Modelos, ante los obstáculos y problemas formales creados por la incertidumbre, en cuanto a los valores jurídicos de las comunicaciones electrónicas intercambiadas en el ámbito de los contratos internacionales, que constituyen una dificultad para el comercio internacional, se consideró conveniente la adopción, en 2005, de la Convención de las Naciones Unidas sobre la Utilización de las Comunicaciones Electrónicas en los Contratos Internacionales, que toma como punto de partida los textos anteriores de para erigirse en el primer tratado que da seguridad jurídica a la contratación electrónica en el comercio internacional. De esta forma, establece normas uniformes para eliminar los obstáculos que se oponen al uso de las comunicaciones electrónicas en los contratos internacionales[10].

---

9 MADRID PARRA, A., "Aprobación de la ley modelo de la CNUDMI / UNCITRAL para las firmas electrónicas", *La Ley: Revista jurídica española de doctrina, jurisprudencia y bibliografía*, Nº 1, 2002, pp. 1787-1788; y "Ley modelo de la CNUDMI/ UNCITRAL para las firmas electrónicas", Revista Aranzadi de Derecho Patrimonial, núm. 11, 2003, págs. 31-64.

10 UNCITRAL, Nota explicativa de la Secretaría de la CNUDMI sobre la Convención de las Naciones Unidas

Mas reciente es la Ley Modelo de la CNUDMI sobre Documentos Transmisibles Electrónicos, cuya adopción tuvo lugar en 2017, que aplica los mismos principios para permitir y facilitar la utilización de documentos y títulos transmisibles en formato electrónico, como conocimientos de embarque, letras de cambio, cheques, pagarés y resguardos de almacén[11]. Posteriormente en 2019, publico unas notas sobre las principales cuestiones relacionadas con los contratos de computación en la nube, a la vez que elabora, en la actualidad, un instrumento sobre la utilización y el reconocimiento transfronterizo de los servicios de gestión de la identidad electrónica y los servicios de confianza[12].

Finalmente, en 2022, se aprobó la Ley Modelo de la CNUDMI sobre la Utilización y el Reconocimiento Transfronterizo de la Gestión de la Identidad y los Servicios de Confianza, que "Recomienda que todos

---

sobre la Utilización de las Comunicaciones Electrónicas en los Contratos Internacionales, Nueva York, 2007, p. 15.

11 MADRID PARRA, A., "Contenido esencial de la Ley Modelo de la CNUDMI/UNCITRAL sobre Documentos Transmisibles Electrónicos", *Revista Aranzadi de derecho y nuevas tecnologías,* ISSN 1696-0351, Nº. 48, 2018, pp. 1-55.

12 UNCITRAL, Proyecto de disposiciones sobre el reconocimiento transfronterizo de sistemas de gestión de la identidad y servicios de confianza, Nueva York, 5 a 9 de abril de 2021, p. 2.

los Estados tomen debidamente en consideración la Ley Modelo cuando revisen o aprueben leyes relacionadas con la gestión de la identidad y los servicios de confianza". Esta Ley será aplicable a la utilización y el reconocimiento transfronterizo de la gestión de la identidad y los servicios de confianza en el contexto de actividades comerciales y servicios relacionados con el comercio

En la UE la regulación comenzó con la aprobación, el 13 de diciembre de 1999, de la Directiva 1999/93/CE, de 13 de diciembre de 1999, por la que se establece un marco comunitario para la firma electrónica; pues, como decía la propia Directiva en su Considerando 5, "la comunicación y el comercio electrónicos requieren firmas electrónicas y servicios conexos de autenticación de datos. La heterogeneidad normativa en materia de reconocimiento legal de la firma electrónica y acreditación de los proveedores de servicios de certificación entre los Estados miembros puede entorpecer gravemente el uso de las comunicaciones y el comercio electrónicos".

En la norma, si bien se contemplaba la eficacia legal de las firmas electrónicas, las disposiciones nacionales realizaron interpretaciones divergentes y, al mismo tiempo, no aplicaron uniformemente las normas técnicas, que se introducían, lo que llevó, con el paso del tiempo, a revisar el marco normativo, para colmar las lagunas que había dejado la citada Directiva, como consecuencia del camino que había desarrollado el mercado de certificación, más heterogéneo y con más posibilidades que las existentes en el momento de su realización.

Con la Directiva se pretendía, esencialmente, instaurar un marco comunitario sobre condiciones aplicables a la firma electrónica y de promover la interoperabilidad. Sin embargo, no tuvo el resultado esperado, aunque si conllevó un cierto grado de armonización en Europa. El problema fundamental fue que los Estados, en su transposición al derecho interno, establecieron marcos jurídicos distintos en relación con la firma electrónica. En este contexto, puede citarse el artículo 3,2 y el 3,7 de la Directiva que establecían, r4espectivamente que "los Estados miembros podrán establecer o mantener sistemas voluntarios de acreditación destinados a mejorar los niveles de provisión de servicios de certificación" y que "los Estados miembros podrán supeditar el uso de la firma electrónica en el sector público a posibles prescripciones adicionales". No obstante, hay que recordar, que, en referencia a la firma electrónica reconocida, no había problema, en tanto que su contenido era uniforme en todos los Estados de la UE, pero la firma electrónica avanzada no lo era, lo que suponía una clara incertidumbre difícil de superar. Además, la Directiva recogía el principio de neutralidad tecnológica, pero daba especial importancia a la firma electrónica reconocida; haciendo girar la equivalencia formal de los instrumentos en su seguridad; es decir, en su fuerza vinculante y probatoria, situando este principio en un plano superior al del principio de neutralidad tecnológica, lo que creó problemas de interoperabilidad. Por otro lado, se veían ciertas lagunas como la obligación no definida de la supervisión nacional de los proveedores de servicios. Además, se hizo hincapié en que todos los países de la UE tenían marcos jurídicos para la firma electrónica, pero distintos lo que imposibilitan las transacciones electrónicas transfronterizas, lo que conllevo la aprobación del Reglamento 910/2014 910/2014, de 23 de julio de 2014, relativo a la identificación electrónica y los servicios de confianza para las transacciones electrónicas en el mercado interior y por el que se deroga la Directiva 1999/93/CE[13], que veremos más adelante.

Finalmente, en España, En España, Real Decreto-Ley 14/1999 incorporó a nuestro ordenamiento jurídico la Directiva sobre firma electrónica, por cierto, antes de su publicación en el Diario Oficial de las Comunidades Europeas lo que fue muy criti-

---

13 MIGUEL ASESIO, P. A., *Derecho Privado de Internet,* Ed. Aranzadi, 2023, p. 77 y 78.

cado[14]. Posteriormente, con la Ley 59/2003, de 19 de diciembre, de Firma Electrónica, se produjo una deseada actualización del marco establecido en el Real Decreto-Ley, que tenía como objetivo fomentar la rápida incorporación de las nuevas tecnologías de seguridad de las comunicaciones electrónicas en la actividad de la empresa, los ciudadanos y las Administraciones públicas.

La Ley 59/2003 modificó e incorporó conceptos, tales como el de firma electrónica reconocida, siguiendo las pautas establecidas por la Directiva, otorgándole equivalencia funcional con la firma manuscrita[15]; o, modificando el concepto de prestadores de servicios de certificación, concediéndole un mayor grado de libertad, reduciendo así la intervención pública[16]. La Ley se inspiró en la Directiva, que a su vez hizo lo propio con la Ley Modelo sobre Firma Electrónica. De esta forma, se es consciente de que la firma electrónica es un elemento esencial del comercio electrónico: da respuesta a la necesidad de conferir seguridad a las comunicaciones y transacciones, siendo por ello

---

[14] CRUZ RIVERO, D., Eficacia probatoria de la firma electrónica, Ed. Marcial Pons, 2006, p. 65.

[15] ILLESCAS ORTIZ, R., *Derecho de la contratación electrónica*, Ed. Aranzadi, 2023, p.145.

[16] MARTINEZ NADAL, A., Cometarios a la ley 59/2003 de Firma Electrónica, Ed. Civitas, 2009, p. 321.

vital el vínculo entre la fiabilidad técnica y la eficacia jurídica que cabe esperar de la firma electrónica. De esta forma, se pretende potenciar el mercado on-line, ofreciendo, ante todo, seguridad en las transacciones, afianzándose la firma electrónica como el instrumento adecuado capaz de devolver la credibilidad y confianza a los sujetos intervinientes a través de sus propios ordenadores, ya sea a nivel nacional o internacional. Mediante esta Ley, España crea un entorno jurídico para todo medio técnico viable de comunicación comercial, a través del empleo de los medios electrónicos enunciados en ella a nivel nacional. Sin embargo, desde una perspectiva internacional, la firma electrónica y el medio electrónico en el que se desenvuelve implica un reconocimiento de esta, clave y con gran transcendencia jurídica, importancia que se aprecia a la vista de las diferentes regulaciones estatales estudiadas, a fin de garantizar su validez jurídica.

b. Segundo enfoque normativo: de la seguridad a la confianza en los prestadores de servicio. La creación de un sistema de gestión de la identidad

El 23 de julio de 2014, con la probación del Reglamento (UE) nº 910/2014, de 23 de julio de 2014, relativo a la identificación electrónica y los servicios de confianza para las transacciones electrónicas en el mercado interior y por el que se deroga la Directiva 1999/93/CE, se produjo una profunda transformación del modelo previo. El origen para su establecimiento debemos situarlo en el Tratado de Lisboa, firmado en esta ciudad, el 13 de diciembre de 2007, que entró en vigor el 1 de diciembre 2009, por el que se modifican el Tratado de la Unión Europea y el Tratado Constitutivo de la Comunidad Europea, y que, en gran parte, reproduce las innovaciones contenidas en el "fallido" Tratado que establecía una Constitución para Europa.

El Tratado de Lisboa sitúa la libertad, la justicia y la seguridad entre sus prioridades más importantes. Con ello, se quiere poner en práctica políticas en diversos campos: crecimiento económico y competitividad, desarrollo del empleo y las condiciones sociales, aumento de la seguridad personal y colectiva, fomento del medio ambiente y las condiciones sanitarias, desarrollo de la cohesión y la solidaridad entre los Estados miembros, en cuanto a progreso científico y tecnológico, además de mejorar su capacidad de actuación en la escena internacional.

De modo más concreto, en el Tratado de Lisboa encontramos tres disposiciones legales que podrían invocarse para sostener la acción legal de la UE en el ámbito de la identificación electrónica, que son, como hemos mencionado más arriba[17]:

a) Artículo 77 del Tratado de Funcionamiento de la Unión Europea (TFUE[18]), que recoge la posibilidad de que la UE, en referencia a las políticas de fronteras, asilo, inmigración, etc. pueda establecer, con arreglo a un procedimiento legislativo especial, disposiciones relativas a los pasaportes, documentos de identidad, permisos de residencia o cualquier otro documento asimilado[19].

b) Artículos 20 a 25 TFUE, en el que se recoge lo que podríamos denominar como el derecho de la ciudadanía europea. En efecto, la ciudadanía

---

17 GOMES DE ANDRADE, N. N., "Regulating electronic identity in the European Union: An analysis of the Lisbon Treaty's competences and legal basis for eID", *ScienceDirect Review*, vol. 28, núm. 2, 2012, pp. 153–162.

18 **Tratado de Funcionamiento de la Unión Europea es resultante del Tratado de Lisboa, que otorga a la Unión Europea competencias sobre "cooperación administrativa".**

19 Véase, en referencia a la e-Apostilla, el Reglamento (UE) 2016/1191 del Parlamento Europeo y del Consejo, de 6 de julio de 2016, por el que se facilita la libre circulación de los ciudadanos simplificando los requisitos de presentación de determinados documentos públicos en la Unión Europea y por el que se modifica el Reglamento (UE) n.° 1024/2012.

de la Unión se añade a la ciudadanía nacional sin sustituirla, lo que presupone la necesidad de crear un sistema de identificación dentro de la zona europea[20].

c) Artículo 16 TFUE, donde se consagra que el derecho a la protección de datos de carácter personal, afirmando que las comunicaciones electrónicas y la protección de los datos personales se encuentran íntimamente conectadas[21].

Además, el Artículo 114 TFUE se refiere a la adopción de normas a fin de eliminar los obstáculos que dificultan el funcionamiento del mercado interior. A través de este precepto, se pretende que los ciudadanos, empresas y administraciones puedan beneficiarse del reconocimiento y la aceptación mutua de la identificación, autenticación y la firma electrónica y otros

---

20 Véase el Reglamento 910/2014, de 23 de julio de 2014, relativo a la identificación electrónica y los servicios de confianza.

21 Véase en el Capítulo I del Reglamento (UE) 2016/679 del Parlamento Europeo y del Consejo, de 27 de abril de 2016, relativo a la protección de las personas físicas en lo que respecta al tratamiento de datos personales y a la libre circulación de estos datos y por el que se deroga la Directiva 95/46/CE (Reglamento general de protección de datos)

servicios de confianza través de las fronteras cuando resulte necesario para el acceso y la realización de procedimientos o transacciones electrónicos[22].

El citado Reglamento[23] se presentó sobre la base de una propuesta emitida por la Comisión fundamentada en el citado Artículo 114 del TFUE, que se refiere a la adopción de normas a fin de eliminar los obstáculos que dificultan el funcionamiento del mercado interior. De esta manera, se considera que un Reglamento es el instrumento jurídico más apropiado. La aplicabilidad directa de un Reglamento en virtud del artículo 288 del TFUE reducirá la fragmentación jurídica y aportará mayor seguridad jurídica.

---

22 COMISIÓN EUROPEA, Exposición de motivos de la Propuesta de Reglamento del Parlamento Europeo y del Consejo relativo a la identificación electrónica y de servicios de confianza para las transacciones electrónicas en el mercado interior, Bruselas, 4 de junio de 2012, COM (2012) 238 final

23 COMISIÓN EUROPEA, Propuesta de REGLAMENTO DEL PARLAMENTO EUROPEO Y DEL CONSEJO relativo a la identificación electrónica y los servicios de confianza para las transacciones electrónicas en el mercado interior COM (2012) 238 final, 2012/0146 (COD), Bruselas, 4 de junio de 2012.
Disponible en: http://eur-lex.europa.eu/LexUriServ/LexUriServ.do?uri=COM:2012:0238:FIN:ES:PDF (última visita: 31 de mayo de 2025).

Con este Reglamento se viene a plantear un mercado único de la firma electrónica y los servicios de confianza en línea afines, más allá de las fronteras, asegurando que esos servicios funcionen y gocen del mismo estatuto jurídico que los trámites tradicionales en papel, dándose pleno efecto a los posibles ahorros propiciados por la contratación electrónica. Por otro lado, se pretende respetar los sistemas de identificación nacionales, así como las preferencias de los Estados miembros que no tienen sistemas nacionales de identificación, permitiendo a los países que si tienen sistemas de identificación electrónica optar por quedar fuera del sistema paneuropeo. Si un Estado miembro notifica que desea sumarse a este sistema deberá ofrecer el mismo acceso a los servicios públicos mediante la identificación electrónica que a sus propios ciudadanos. Así, se trata de dar un reconocimiento recíproco a las identificaciones electrónicas nacionales, a la vez que se quiere establecer normas comunes sobre los servicios de confianza y la firma electrónica. De esta forma, se pretende profundizar en la mejorara la legislación existente y en la ampliación del reconocimiento y la aceptación mutua, dentro de la Unión Europea, de los sistemas de identificación electrónica y otros servicios de confianza electrónicos conexos.

No obstante, no se obliga a los Estados miembros de la UE a introducir (ni a los individuos a obtener) documentos nacionales de identidad, tarjetas electrónicas de identidad u otras soluciones de identificación electrónica, ni introduce una identificación electrónica europea ni ninguna especie de base europea de datos, ni permite ni requiere que se comparta información personal con otras partes.

Se aprecia así, el respeto de la soberanía nacional, al no imponer la obligación de que todos los ciudadanos de la UE tengan una identificación electrónica, aunque habría que considerar, como ha puesto el Comité Económico y Social Europeo, los beneficios de un sistema universal de identificación electrónica europea[24]. Todo ello, con el objetivo de que los ciudadanos puedan disfrutar de una igualdad de oportunidades dentro de la UE.

Por ello, es importante asegurar la interoperabilidad transfronteriza en el seno de la UE de las identificaciones nacionales, así como el reconocimiento y aceptación mutuos entre los Estados miembros de los medios de identificación electrónica, para la ejecución

---

24 COMITÉ ECONÓMICO Y SOCIAL EUROPEO, Dictamen del Comité Económico y Social Europeo sobre la «Propuesta de Reglamento del Parlamento Europeo y del Consejo, relativo a la identificación electrónica y los servicios de confianza para las transacciones electrónicas en el mercado interior» [COM (2012) 238 final] (2012/C 351/16), Diario Oficial de la Unión Europea, 15 de noviembre de 2012, C 351/73.

de operaciones electrónicas sin fisuras que dependan de la identificación electrónica y la prestación de los servicios de confianza[25].

El Reglamento parte de tres cuestiones fundamentales[26]:

1) Mejorar el marco jurídico de la firma electrónica sustituyendo la Directiva vigente sobre la firma electrónica, impone una mayor responsabilidad por la seguridad y establece normas claras y estrictas para la supervisión de la firma electrónica y servicios relacionados

2) Imponer el requisito del reconocimiento mutuo entre diversos sistemas nacionales de identificación electrónica (artículo 6 del Reglamento).

3) Incluir los servicios de confianza, dejando claro el marco jurídico estableciendo a unos sólidos

---

25 MADRID PARRA, A., "La identificación electrónica", *Revista de la Contratación Electrónica*, abril, núm. 15, 2001.

26 COMITÉ ECONÓMICO Y SOCIAL EUROPEO, Dictamen del Comité Económico y Social Europeo sobre la «Propuesta de Reglamento del Parlamento Europeo y del Consejo, relativo a la identificación electrónica y los servicios de confianza para las transacciones electrónicas en el mercado interior» [COM (2012) 238 final] (2012/C 351/16), Diario Oficial de la Unión Europea, 15 de noviembre de 2012, C 351/73.

organismos de supervisión para los prestadores de servicios relacionados con ventas electrónicas, marcas de tiempo, aceptabilidad electrónica de documento, servicios de entrega electrónica y autenticación electrónica.

De esta forma, se promueve el uso de estándares de firma electrónica, tratando de centrarse en un área de aplicación menos compleja y, por tanto, más accesible. Estas recomendaciones son las de promover: la interoperabilidad entre Estados miembros de la UE, el reconocimiento legal de la aplicación de la firma electrónica simple de acuerdo con la Directiva y un desarrollo sencillo en cualquier contexto empresarial. Unas aplicaciones accesibles son una condición *sine qua non* para su adopción. Las aplicaciones para el uso de las firmas electrónicas deben cumplir con unos criterios de utilización estrictos, que los usuarios deberán ser capaces de usar, a través de su firma electrónica, sin complejidad.

La profunda transformación del modelo previo destaca, en primer lugar, por el abandono como instrumento normativo de la Directiva y su sustitución por un Reglamento, al considerarse que un Reglamento es el instrumento jurídico más apropiado. La aplicabilidad directa de un Reglamento, en virtud del artículo 288 del TFUE, reduce la fragmentación jurídica y aporta mayor seguridad jurídica, mediante la introducción de un conjunto armonizado de normas básicas, que contribuirán al buen funcionamiento del mercado interior. Todo ello, teniendo presente que el objetivo fundamental es mejorar la legislación existente y ampliarla, incluyendo el reconocimiento y la aceptación mutua, dentro de la UE, de los sistemas de identificación electrónica notificados y otros servicios de confianza electrónicos conexos esenciales

De esta forma, con la elección de este marco normativo, se trata de evitar la multitud de problemas causados por la Directiva, de reforzar la seguridad jurídica, de estimular la coordinación de la supervisión nacional, de garantizar el reconocimiento y la aceptación mutuos de los regímenes de identificación electrónica y de incorporar servicios de confianza conexos. Especial importancia tiene la identificación; pues, con el Reglamento se trata de suprimir los problemas de armonización causados por los diferentes sistemas nacionales de identificación electrónica.

Dicho lo anterior, tenemos presente que la naturaleza transnacional del Reglamento exige una acción de la UE. Con arreglo al principio de subsidiariedad (artículo 5, apartado 3, del TUE), la Unión sólo debe intervenir en caso de que los objetivos perseguidos, no puedan ser alcanzados de manera suficiente por los Estados miembros por sí solos, para que puedan alcanzarse mejor, debido a la dimensión o a los efectos de la acción pretendida, a escala de la Unión.

En cualquier caso, para entender el desarrollo emprendido del Reglamento 910/2014, hay que tener presente que no existe un mercado único digital; es decir, preexisten de 28 mercados digitales individuales, divididos y, hasta la fecha, no armonizados. No obstante, estos 28 mercados, como sabemos, son sistemas jurídicos aproximados, más aún, en la materia que tratamos, gracias a la Directiva.

Así, a la luz de estos problemas, se consideró, como decimos que, por sí solos, los Estados miembros no pueden mitigar los problemas que se plantean, en la situación actual, especialmente, los debidos a la fragmentación de las legislaciones nacionales. Por tanto, existe una necesidad específica de establecer un marco armonizado y coherente, con la intención de alcanzar los objetivos y metas fijadas en la *estrategia Europa 2020*[27].

Asimismo, la Comisión consideró que la UE es la que está en mejores condiciones para garantizar de forma efectiva y coherente la interoperabilidad de la

---

27 COMISIÓN EUROPEA, *Comunicación de la Comisión: Europa 2020: Una estrategia para un crecimiento inteligente, sostenible e integrador*, Bruselas COM (2010) 2020 final, p. 10.

firma electrónica; pues, como sabemos, las medidas nacionales han creado barreras *de facto* a la citada interoperabilidad de la firma electrónica en la UE, y están teniendo, actualmente, el mismo efecto sobre la identificación electrónica, la autenticación electrónica y los servicios de confianza conexos, por lo que es necesaria la creación de un marco, que permita abordar la interoperabilidad transfronteriza y mejorar la coordinación, de los regímenes nacionales de supervisión[28].

Por lo anterior, se ha dotado a la Comisión de la potestad de adoptar actos delegados (artículo 47 del Reglamento) y de ejecución[29] (artículo 52, b) y c) del Reglamento). Asimismo, A la hora de adoptar actos delegados o actos de ejecución, la Comisión debe tener en cuenta las normas y especificaciones técnicas

---

28 COMISIÓN EUROPEA, *Exposición de motivos de la Propuesta de Reglamento del Parlamento Europeo y del Consejo relativo a la identificación electrónica y de servicios de confianza para las transacciones electrónicas en el mercado interior*, Bruselas, 4 de junio de 2012, COM (2012) 238 final, pág. 4.

29 Reglamento (UE) nº 182/2011 del Parlamento Europeo y del Consejo, de 16 de febrero de 2011, por el que se establecen las normas y los principios generales relativos a las modalidades de control por parte de los Estados miembros del ejercicio de las competencias de ejecución por la Comisión (DO L 55 de 28 de febrero de 2011, p. 13).

elaboradas por organizaciones y organismos de normalización europeos e internacionales, en particular, el Comité Europeo de Normalización (CEN), el Instituto Europeo de Normas de Telecomunicación (ETSI), la Organización Internacional de Normalización (ISO) y la Unión Internacional de Telecomunicaciones (UIT), con vistas a garantizar un elevado nivel de seguridad e interoperabilidad, de los servicios de identificación electrónica y de confianza[30].

El procedimiento de ejecución de estos actos se contiene en el artículo 48, intitulado "Procedimiento de comité", que remite al Reglamento (UE) nº 182/2011 del Parlamento Europeo y del Consejo, de 16 de febrero de 2011, por el que se establecen las normas y los principios generales relativos a las modalidades de control por parte de los Estados miembros del ejercicio de las competencias de ejecución por la Comisión[31], que establece las normas y principios generales, que regulan los mecanismos aplicables, en los casos en que un acto jurídicamente vinculante de

30 Considerando 72 del Reglamento (UE) n ° 910/2014 del Parlamento Europeo y del Consejo, de 23 de julio de 2014 , relativo a la identificación electrónica y los servicios de confianza para las transacciones electrónicas en el mercado interior y por la que se deroga la Directiva 1999/93/CE

31 Disponible en: https://www.boe.es/doue/2011/055/L00013-00020.pdf (Última visita: 29 de marzo de 2025).

la Unión determine la necesidad de condiciones uniformes de ejecución y requiera que la adopción de actos de ejecución, por la Comisión esté sometida al control de los Estados miembros [32].

Estos actos van destinados a garantizar la disponibilidad de normas organizativas y técnicas, gestionar la información notificada por los Estados miembros, y, en particular, mantener la información relacionada con las listas de confianza, sensibilizar acerca de las ventajas de la utilización de la identificación, autentificación y firma electrónicas y los servicios de confianza conexos e iniciar conversaciones con terceros países con vistas a conseguir la interoperabilidad a nivel mundial en este ámbito.

---

32 Obsérvese el Considerando 1 del Reglamento (UE) nº 182/2011: "Cuando se requieran condiciones uniformes de ejecución de los actos jurídicamente vinculantes de la Unión (denominados en lo sucesivo «actos de base»), estos deben conferir competencias de ejecución a la Comisión o, en casos específicos debidamente justificados y en los establecidos en los artículos 24 y 26 del Tratado de la Unión Europea, al Consejo" y el Considerando 5 del citado Reglamento: "Para los actos de base que requieran el control por parte de los Estados miembros de la adopción de los actos de ejecución por la Comisión, es conveniente que, a efectos de dicho control, se creen comités compuestos por los representantes de los Estados miembros y presididos por la Comisión"

En este sentido, puede decirse que se trabaja en la creación de un "espacio de confianza transfronterizo"[33] que signifique una combinación de condiciones jurídicas, organizativas y técnicas recomendadas por la propia UE. Todo ello con el objetivo de promover la investigación y cooperación, que permitan el uso eficaz de datos y software, en particular documentos y operaciones electrónicos, incluidos medios electrónicos de autenticación, el mejoramiento de los métodos de seguridad y, además, promover la confianza en un entorno electrónico en todo el mundo alentando las corrientes de información transfronterizas seguras, incluidos los documentos electrónicos y las actividades encaminadas a ampliar y reforzar la Infraestructura de la Información.

No obstante, si bien esos actos pueden ser necesarios, desde la perspectiva estatal, pueden provocar incertidumbre e inseguridad; pues, como se establece en el artículo 290 del Tratado de Funcionamiento de la Unión Europea y el Acuerdo Común del Parlamento Europeo: "el Parlamento Europeo o el Consejo podrán decidir revocar la delegación", si lo consideran necesario.

---

[33] UNCITRAL, *Solución de controversias en línea en las operaciones transfronterizas de comercio electrónico,* documento presentado por la Federación de Rusia, Viena, 30 de noviembre a 4 de diciembre de 2015, pp. 3.

Dicho lo anterior, se observa que la Comisión ha empezado a desarrollar el Reglamento, mediante los citados actos de ejecución. Podemos citar, entre ellos:

- Decisión de Ejecución (UE) 2015/296 de la Comisión, de 24 de febrero de 2015 , por la que se establecen las modalidades de procedimiento para la cooperación entre los Estados miembros en materia de identificación electrónica con arreglo al artículo 12, apartado 7, del Reglamento (UE) n ° 910/2014 del Parlamento Europeo y del Consejo relativo a la identificación electrónica y los servicios de confianza para las transacciones electrónicas en el mercado interior Texto pertinente a efectos del EEE[34].

La Decisión se realiza de conformidad con lo establecido por el artículo 48 del Reglamento. Se adopta

---

34 Decisión de Ejecución (UE) 2015/296 de la Comisión, de 24 de febrero de 2015, por la que se establecen las modalidades de procedimiento para la cooperación entre los Estados miembros en materia de identificación electrónica con arreglo al artículo 12, apartado 7, del Reglamento (UE) n° 910/2014 del Parlamento Europeo y del Consejo relativo a la identificación electrónica y los servicios de confianza para las transacciones electrónicas en el mercado interior. Disponible en: http://eur-lex.europa.eu/legal-content/ES/TXT/?uri=CELEX%3A32015D0296 (Última visita: 29 de marzo de 2025).

con objeto de fomentar la cooperación entre los Estados miembros, en materia de interoperabilidad y seguridad de los sistemas de identificación electrónica. Lo que resulta esencial para fomentar un alto grado de confianza y seguridad que corresponda al nivel de riesgo en tales sistemas. Todo ello en virtud del artículo 7, letra g) del Reglamento (UE) nº 910/2014, que requiere que el Estado miembro notificante facilite a los demás Estados miembros, "*al menos seis meses antes de la notificación a la que se refiere el artículo 9, apartado 1, el Estado miembro que efectúa la notificación presentará a los demás Estados miembros, a efectos de la obligación a que se refiere el artículo 12, apartado 5, una descripción de este sistema, de conformidad con las modalidades de procedimiento establecidas en los actos de ejecución a los que se refiere el artículo 12, apartado 7*", del Reglamento (UE) nº 910/2014.

En este sentido, las modalidades a las que se refiere (artículo 1 de la Decisión), en particular, son: a) al intercambio de información, experiencia y buenas prácticas sobre los sistemas de identificación electrónica y el examen de las novedades pertinentes en el sector de la identificación electrónica, según lo establecido en el capítulo II; b) a la revisión por pares de los sistemas de identificación electrónica, según lo establecido en el capítulo III, y c) a la cooperación a través de la Red de Cooperación, según lo establecido en el capítulo IV.

- Reglamento de Ejecución (UE) 2015/806 de la Comisión, de 22 de mayo de 2015, por el que se establecen especificaciones relativas a la forma de la etiqueta de confianza «UE» para servicios de confianza cualificados (Texto pertinente a efectos del EEE)[35].

Este Reglamento de ejecución viene a desarrollar el artículo 23 del Reglamento 910/2014, estableciendo especificaciones relativas a la forma de la etiqueta de confianza UE para servicios de confianza cualificados, ante la importancia de crear un marco de confianza en los servicios en línea y la conveniencia de estos servicios; pues, son fundamentales, para que los usuarios los aprovechen plenamente y confíen conscientemente en los servicios electrónicos.

Mediante esta etiqueta de confianza UE, que, como decimos, identifica los servicios de confianza cualificados prestados por prestadores cualificados de servicios de confianza, se diferenciará claramente los servicios de confianza cualificados de otros servicios

---

35 Reglamento de Ejecución (UE) 2015/806 de la Comisión, de 22 de mayo de 2015, por el que se establecen especificaciones relativas a la forma de la etiqueta de confianza «UE» para servicios de confianza cualificados. Disponible en: http://www.boe.es/doue/2015/128/L00013-00015.pdf (última visita 11 de enero de 2025).

de confianza, contribuyendo así a mejorar la transparencia del mercado, al tiempo que incluye la posibilidad de hacer uso de un distintivo de confianza[36], lo que facilita que los potenciales clientes puedan adoptar decisiones con una más completa y fiable información.

Si bien esta etiqueta es voluntaria, por lo que no supone un requisito añadido a los ya establecidos en el Reglamento 910/2014[37], al utilizar la etiqueta, los prestadores de los servicios de confianza garantizarán que en su sitio web exista un enlace a la lista de confianza pertinente. Así, quienes prestan este tipo de servicios a los titulares de sitios web proporcionan un medio por el que puede garantizarse, a la persona que visita un sitio web, la autenticidad de la entidad titular del mismo, de modo que le proporciona certeza al respecto.

Asimismo, hay que destacar que el Reglamento 910/2014 establece obligaciones mínimas de seguridad y responsabilidad, para los prestadores de servicios

---

36 La citada etiquita viene descrita en los artículos 2 y ss. del Reglamento de Ejecución (UE) 2015/806 de la Comisión, de 22 de mayo de 2015.

37 Considerando 47 del Reglamento (UE) n ° 910/2014 del Parlamento Europeo y del Consejo, de 23 de julio de 2014 , relativo a la identificación electrónica y los servicios de confianza para las transacciones electrónicas en el mercado interior y por la que se deroga la Directiva 1999/93/CE.

de autenticación de páginas web y los servicios que prestan. Su anexo IV establece los requisitos de los certificados cualificados de autenticación de sitios web. En todo caso, dicho Reglamento no se opone a la utilización de otros medios o métodos de autenticación de un sitio web distinto.

- Decisión de Ejecución (UE) 2015/1505 de la Comisión, de 8 de septiembre de 2015, por la que se establecen las especificaciones técnicas y los formatos relacionados con las listas de confianza de conformidad con el artículo 22, apartado 5, del Reglamento (UE) n° 910/2014 del Parlamento Europeo y del Consejo, relativo a la identificación electrónica y los servicios de confianza para las transacciones electrónicas en el mercado interior (Texto pertinente a efectos del EEE)[38].

---

[38] Decisión de Ejecución (UE) 2015/1505 de la Comisión, de 8 de septiembre de 2015, por la que se establecen las especificaciones técnicas y los formatos relacionados con las listas de confianza de conformidad con el artículo 22, apartado 5, del Reglamento (UE) n° 910/2014 del Parlamento Europeo y del Consejo, relativo a la identificación electrónica y los servicios de confianza para las transacciones electrónicas en el mercado interior. Disponible en: https://www.boe.es/doue/2015/235/L00026-00036.pdf (Última visita 12 de enero de 2025).

Esta Decisión de ejecución[39], se ha realizado sobre la base de la lista de confianza establecida por la Decisión 2009/767/CE[40] de la Comisión, modificada por la Decisión 2010/425/UE[41] de la Comisión. Asimismo, decir que esta Decisión se adopta, con el objetivo

---

39 Información relativa a los datos sobre las listas de confianza de los Estados miembros notificada en virtud de la Decisión 2009/767/CE, modificada por la Decisión 2010/425/UE y la Decisión de Ejecución 2013/662/UE, y en virtud de la Decisión de Ejecución (UE) 2015/1505. Disponible en: https://publications.europa.eu/es/publication-detail/-/publication/f3008e6f-3cf6-11e6-a825-01aa75ed71a1/language-es (Última visita 12 de enero de 2025).

40 Decisión de la Comisión de 16 de octubre de 2009 por la que se adoptan medidas que facilitan el uso de procedimientos por vía electrónica a través de las «ventanillas únicas» con arreglo a la Directiva 2006/123/CE del Parlamento Europeo y del Consejo relativa a los servicios en el mercado interior, Diponible en: http://eur-lex.europa.eu/LexUriServ/LexUriServ.do?uri=OJ:L:2009:299:0018:0054:ES:PDF (Última visita: 31 de marzo de 2025).

41 Decisión de la Comisión de 28 de julio de 2010 por la que se modifica la Decisión 2009/767/CE en lo relativo al establecimiento, el mantenimiento y la publicación de listas de confianza de proveedores de servicios de certificación supervisados o acreditados por los Estados miembros. Disponible en: https://www.boe.es/doue/2010/199/L00030-00035.pdf (Última visita: 31 de marzo de 2025).

de cumplir con lo establecido en el artículo 22,5, en el que se establece que, antes del 18 de septiembre de 2015, la Comisión, mediante actos de ejecución, especificará la información que cada Estado miembro debe establecer, mantener y publicar, en relación a las listas de confianza, respecto a la información relativa a los prestadores cualificados de servicios de confianza, que incluyan información sobre los proveedores de servicios de confianza cualificados que supervisan, así como información sobre los servicios de confianza cualificados que proporcionan dichos proveedores. Esas listas se ajustarán a las especificaciones técnicas que figuran en el anexo I.

Las listas de confianza constituyen elementos esenciales, para la creación de confianza entre los operadores del mercado, ya que indican la cualificación del prestador de servicios en el momento de la supervisión. Asimismo, resulta importante, si observamos el artículo 21 del Reglamento 910/2014, la actividad que debe realizar el organismo de supervisión, a petición de un proveedor de servicios de confianza que desee iniciar un servicio de confianza cualificado, con vistas a facilitar la diligencia debida que lleve a la prestación de servicios de confianza cualificados.

- Decisión de Ejecución (UE) 2015/1506 de la Comisión, de 8 de septiembre de 2015, por la que se establecen las especificaciones relativas a los formatos de las firmas electrónicas avanzadas y los sellos avanzados que deben reconocer los organismos del sector público de conformidad con los artículos 27, apartado 5, y 37, apartado 5, del Reglamento (UE) n° 910/2014 del Parlamento Europeo y del Consejo, relativo a la identificación electrónica y los servicios de confianza para las transacciones electrónicas en el mercado interior (Texto pertinente a efectos del EEE)[42].

Está Decisión de ejecución viene a complementar y/o definir algunos aspectos técnicos de las firmas electrónicas avanzadas y los sellos avanzado, como son los formatos y los métodos de referencia específicos,

---

42 Decisión de Ejecución (UE) 2015/1506 de la Comisión, de 8 de septiembre de 2015, por la que se establecen las especificaciones relativas a los formatos de las firmas electrónicas avanzadas y los sellos avanzados que deben reconocer los organismos del sector público de conformidad con los artículos 27, apartado 5, y 37, apartado 5, del Reglamento (UE) n° 910/2014 del Parlamento Europeo y del Consejo, relativo a la identificación electrónica y los servicios de confianza para las transacciones electrónicas en el mercado interior. Disponible en: http://eur-lex.europa.eu/legal-content/ES/TXT/PDF/?uri=CELEX:32015D1506&rid=5 (Última visita: 31 de marzo de 2025).

deben tenerse en cuenta las prácticas, las normas y los actos jurídicos de la Unión existentes.

En este Sentido, toma de referencia la Decisión de Ejecución 2014/148/UE de la Comisión[43], que viene a establecer que "los Estados miembros implantarán los medios técnicos necesarios para procesar los documentos firmados electrónicamente por las autoridades competentes de otros Estados miembros con una firma electrónica avanzada XML o CMS o PDF en cualquier nivel de conformidad o utilizando un contenedor con firma asociada al nivel básico, siempre que esto se ajuste a las especificaciones técnicas contenidas en el anexo, que presenten los prestadores de servicios en el contexto del cumplimiento de los procedimientos y trámites a través de las ventanillas únicas, según lo previsto en el artículo 8 de la Directiva

---

43 Decisión 2014/148/UE de Ejecución de la Comisión, de 17 de marzo de 2014, que modifica la Decisión 2011/130/UE, por la que se establecen los requisitos mínimos para el tratamiento transfronterizo de los documentos firmados electrónicamente por las autoridades competentes en virtud de la Directiva 2006/123/CE del Parlamento Europeo y del Consejo, relativa a los servicios en el mercado interior [notificada con el número C (2014) 1640] Texto pertinente a efectos del EEE. Disponible en: http://eur-lex.europa.eu/legal-content/ES/TXT/?uri=celex%3A32014D0148 (Última visita 3 de abril de 2025).

2006/123/CE" (artículo 1 de la Decisión 2014/148/ UE). No obstante, si bien esta Decisión no hace referencia a los sellos electrónicos, a éstos deberán aplicarse los formatos de firmas electrónicas avanzadas *mutatis mutandis* a los formatos de sellos electrónicos avanzado, al ser similares desde el punto de vista técnico.

Como puede observarse, se trata de solventar las dificultades técnicas derivadas de la variedad de formatos de firma o sellos electrónicos que puedan ser utilizados. Por ello, Los Estados miembros que requieran una firma electrónica, o sello electrónico, avanzada basados en un certificado cualificado, como se prevén los artículos artículo 27 1 y 2 y 37, 1 y 2 Reglamento 910/2014, se otros formatos de firma electrónica o sello electrónico distintos a los contemplados en el artículo 1 y 3, respectivamente, de la Decisión (UE) 2015/1506, siempre que el Estado miembro en el que tenga su sede el proveedor de servicios de confianza utilizado por el creador del sello ofrezca a otros Estados miembros posibilidades de validación de sellos adecuadas, en la medida de lo posible, para el tratamiento automático.

De esta forma, se plantea la exigencia de que los Estados miembros cooperen para ofrecer la interoperabilidad técnica. Esto excluye cualquier norma técnica nacional específica que exija que las partes no nacionales, por ejemplo, obtengan equipos o programas específicos para verificar y validar la identificación electrónica notificada. Por el contrario, es inevitable imponer requisitos técnicos a los usuarios[44], derivados de las especificaciones intrínsecas de cualquier dispositivo que se utilice, motivo por lo que resulta necesaria la definición de cierto número de formatos para facilitar la automatización y mejoraría la interoperabilidad transfronteriza de los procedimientos electrónicos.

Con ello, se observa una cierta permisividad técnica, de cara a conseguir que efectos jurídicos puedan lograrse por cualquier medio técnico, siempre que se cumplan, en la medida de lo posible, los requisitos que en él se estipulan.

Así, el anexo de la Decisión de ejecución, que comentamos, marca las especificaciones técnicas que, como mínimo deberán cumplir, a fin de maximizar la interoperabilidad. De esta forma, se trata de identificar un conjunto de opciones comunes que apropiadas para apoyar las posibles variaciones que se puedan observar en el proceso de firma. Entre los perfiles que se observan están XAdES, CAdES y PAdES.

Con todo, con el presente acto se observan las normas y especificaciones técnicas[45] elaboradas por orga-

---

44 Considerando 15 del Reglamento 910/2014, relativo a la identificación electrónica y los servicios de confianza para las transacciones electrónicas en el mercado interior.

45 Obsérvese el Considerando 5 de la Decisión de Ejecución (UE) 2015/1506, que viene a decirnos que "Debido a la

nizaciones y organismos de normalización europeos e internacionales, en particular, del Instituto Europeo de Normas de Telecomunicación (ETSI), con vistas a garantizar un elevado nivel de seguridad e interoperabilidad de los servicios de identificación electrónica y de confianza.

- Reglamento de Ejecución (UE) 2015/1502 de la Comisión, de 8 de septiembre de 2015, sobre la fijación de especificaciones y procedimientos técnicos mínimos para los niveles de seguridad de medios de identificación electrónica con arreglo a lo dispuesto en el artículo 8, apartado 3, del Reglamento (UE) n° 910/2014 del Parlamento Europeo y del Consejo, relativo a la identificación electrónica y los servicios de confianza para las transacciones electrónicas en el mercado interior (Texto pertinente a efectos del EEE)[46].

---

revisión en curso de los organismos de normalización de las versiones de archivo a largo plazo de los formatos de referencia, las normas que detallan el archivo a largo plazo se excluyen del ámbito de aplicación de la presente Decisión. Cuando esté disponible la nueva versión de las normas citadas, se revisarán las referencias a las normas y las cláusulas sobre archivo a largo plazo".

46 Reglamento de Ejecución (UE) 2015/1502 de la Comisión, de 8 de septiembre de 2015, sobre la fijación

Este Reglamento de Ejecución viene a desarrollar los niveles de seguridad de los sistemas de identificación electrónica, de conformidad con lo establecido en el artículo 8,3 del Reglamento 910/2014, "teniendo en cuenta las normas internacionales pertinentes, y en los términos del apartado 2, la Comisión establecerá, mediante actos de ejecución, las especificaciones técnicas mínimas, las normas y los procedimientos con referencia a los cuales se especificarán los niveles de seguridad bajo, sustancial y alto de los medios de identificación electrónica".

En el marco de la determinación de los niveles de seguridad vinculados a la gestión de la identidad, se fijan tres niveles:

a) Nivel de seguridad bajo;

b) Nivel de seguridad sustancial, y

c) Nivel de seguridad alto.

---

de especificaciones y procedimientos técnicos mínimos para los niveles de seguridad de medios de identificación electrónica con arreglo a lo dispuesto en el artículo 8, apartado 3, del Reglamento (UE) n° 910/2014 del Parlamento Europeo y del Consejo, relativo a la identificación electrónica y los servicios de confianza para las transacciones electrónicas en el mercado interior. Disponible en: http://eur-lex.europa.eu/legal-content/ES/TXT/PDF/?uri=OJ:JOL_2015_235_R_0002&from=ES (Última visita: 3 de abril de 2025).

Estos niveles de seguridad se describen de acuerdo con especificaciones técnicas, normas y procedimientos conexos (tal y como puede observarse en el anexo). De esta forma, puede decirse que se crea un mecanismo de cooperación, así como un marco de interoperabilidad, para definir los criterios de seguridad para intercambiar la información relativa a los medios de identificación electrónica y sus respectivos niveles de seguridad[47], consagrando así el principio de reconocimiento mutuo para los medios de identificación que tuvieran un nivel de garantía equivalente (a partir del nivel de garantía suficiente) o superior.

Este Reglamento de Ejecución se ha desarrollado en forma de enfoque basado en los resultados[48], que

---

47 Obsérvese el Reglamento de Ejecución (UE) 2015/1502 de la Comisión, de 8 de septiembre de 2015, sobre la fijación de especificaciones y procedimientos técnicos mínimos para los niveles de seguridad de medios de identificación electrónica con arreglo a lo dispuesto en el artículo 8, apartado 3, del Reglamento (UE) n° 910/2014 del Parlamento Europeo y del Consejo, relativo a la identificación electrónica y los servicios de confianza para las transacciones electrónicas en el mercado interior (Texto pertinente a efectos del EEE)

48 UNCITRAL, *Cuestiones jurídicas relacionadas con la gestión de la identidad y los servicios de confianza Propuesta presentada por el Reino Unido de Gran Bretaña e Irlanda del Norte,* , Nueva York, 24 a 28 de abril de 2017, p. 3.

es el más apropiado, lo que también se refleja en las definiciones que se utilizan para especificar los términos y conceptos, teniendo en cuenta el objetivo del Reglamento 910/2014 en relación con los niveles de seguridad de los medios de identificación electrónica. Este enfoque, basado en los resultados, hace más fácil llegar a un acuerdo sobre la garantía necesaria y mantener la neutralidad tecnológica. Si el nivel de garantía determina exactamente qué solución ha de aplicarse, se genera la obligación de adoptar un proceso o una tecnología concretos, lo que desalienta la innovación, impide la evolución y obliga a descartar otras soluciones que ofrecerían los mismos niveles de garantía.

Con estos niveles de seguridad se pretende describir, de acuerdo con especificaciones técnicas, normas y procedimientos conexos, para los niveles de seguridad bajo, sustancial y alto entendidos, en el sentido descrito en el Reglamento, en particular con respecto al nivel de seguridad alto en relación con la acreditación de identidad para la expedición de certificados cualificados. Los requisitos que se establezcan deberán ser tecnológicamente neutros[49], si bien resultan

---

[49] Considerando 16, *in fine* del Reglamento 910/2014 relativo a la identificación electrónica y los servicios de confianza para las transacciones electrónicas en el mercado interior y por la que se deroga la Directiva 1999/93/CE.

inevitables los requisitos técnicos derivados de las especificaciones intrínsecas de los medios de identificación electrónica nacionales.

No obstante, se trata de prever un mecanismo de cooperación y un marco de interoperabilidad técnica, para definir los criterios en que se basan los niveles de garantía, así como para intercambiar la información relativa a los medios de identificación electrónica y sus respectivos niveles de garantía. De esta forma, se consagra el principio de reconocimiento mutuo transfronterizo para los medios de identificación que tuvieran un nivel de garantía equivalente (a partir del nivel de garantía suficiente) o superior. Asimismo, en el nivel de seguridad más bajo, se podría establecer la presunción de que se han respetado los criterios objetivos que definen los niveles de fiabilidad y se han cumplido los requisitos legales si el proveedor se ajusta a las normas técnicas determinadas por una autoridad internacional; por otro lado, los de mayor nivel de fiabilidad deben, por lo menos, estar vinculados a datos de identificación personal emitidos o administrados por una fuente fidedigna.

En cualquier caso, lo principal, si se observa el Reglamento de Ejecución en su Anexo, es que el enfoque, basado en los resultados, establece el objetivo que debe alcanzarse para lograr los diferentes niveles de garantía en relación con cada uno de los distintos elementos del sistema de identificación electrónica. Cuanto más riguroso s sean el objetivo, los controles o el proceso, mayor será el nivel de confianza y, por tanto, el nivel de garantía[50].

La forma de lograr el objetivo la determinaran los administradores del sistema de cada Estado miembro. Esto no significa que los Estados miembros deban modificar o unificar sus sistemas nacionales de identificación electrónica, sino que es una forma de medir la equivalencia de un sistema, comparándolo con un indicador de referencia.

- Reglamento de Ejecución (UE) 2015/1501 de la Comisión, de 8 de septiembre de 2015, sobre el marco de interoperabilidad de conformidad con el artículo 12, apartado 8, del Reglamento (UE) n° 910/2014 del Parlamento Europeo y del Consejo, relativo a la identificación electrónica y los servicios de confianza para las transacciones electrónicas en el mercado interior (Texto pertinente a efectos del EEE)[51].

---

50 UNCITRAL, *Cuestiones jurídicas relacionadas con la gestión de la identidad y los servicios de confianza Propuesta presentada por el Reino Unido de Gran Bretaña e Irlanda del Norte,* Nueva York, 24 a 28 de abril de 2017, p. 4.

51 Reglamento de Ejecución (UE) 2015/1501 de la Comisión, de 8 de septiembre de 2015, sobre el marco de

Mediante el presente Reglamento de Ejecución se trata de establecer condiciones uniformes para la ejecución de los sistemas nacionales de identificación electrónica notificados por los Estado miembro a la Comisión, sin dilaciones indebidas, así como cualquier modificación posterior de la misma. De esta forma, se intenta elaborar un instrumento que aborde cuestiones para facilitar la interoperabilidad; pues, es reconocida por la propia Comisión lo necesaria que es la interoperabilidad efectiva, para que las empresas y Administraciones puedan ejercer sus derechos y realizar transacciones a través de las fronteras[52].

En definitiva, se trata de que, con la información que poseemos, podamos: demostrar la identidad y

---

interoperabilidad de conformidad con el artículo 12, apartado 8, del Reglamento (UE) n° 910/2014 del Parlamento Europeo y del Consejo, relativo a la identificación electrónica y los servicios de confianza para las transacciones electrónicas en el mercado interior. Disponible en: http://eur-lex.europa.eu/legal-content/ES/TXT/?qid=1490352323537&uri=CELEX:32015R1501 (Última vista: 5 de abril de 2025).

52 COMISIÓN EURPEA, *Comunicación de la Comisión al Consejo, al Parlamento Europeo, al Comité Económico y Social Europeo y al Comité de las Regiones (COM (2008) 798 final): sobre el Plan de acción de sobre firma electrónica y la identificación electrónica para facilitar la prestación de servicios públicos transfronterizos en el mercado único*, Bruselas, 28 de Noviembre de 2008.

realizar una transacción jurídicamente vinculante, respetando los requisitos del procedimiento. De este modo, la interoperabilidad se hace posible, con el fin de poder utilizar la misma identificación electrónica en cualquier comunicación nacional o internacional, a través de un procedimiento ya establecido[53].

La seguridad de los sistemas de identificación electrónica es esencial para la confianza en el reconocimiento transfronterizo recíproco de los medios de identificación electrónica. En tal sentido, los Estados miembros deben cooperar en relación con la seguridad y la interoperabilidad de los sistemas de identificación electrónica en el plano de la Unión. Toda vez que los sistemas de identificación electrónica puedan requerir el empleo de equipos o programas informáticos específicos por las partes usuarias a escala nacional, la interoperabilidad transfronteriza exige que los Estados miembros no impongan tales requisitos y los costes asociados a las partes usuarias establecidas fuera de su territorio[54]. En tal caso, se deben debatir y

---

[53] MERCHÁN MURILLO, A., *Firma electrónica: funciones y problemática*, Aranzadi, Pamplona, 2016, p. 328.

[54] Considerando 19 del Reglamento 910/2014 del Parlamento Europeo y del Consejo, relativo a la identificación electrónica y los servicios de confianza para las transacciones electrónicas en el mercado interior.

desarrollar soluciones adecuadas dentro del ámbito de aplicación del marco de interoperabilidad.

La interoperabilidad es de evidente necesidad de que, para que quienes operen en línea, mediante el uso de una identidad electrónica de confianza, les permita interactuar con su Gobierno y con organizaciones del sector privado de forma rápida, eficiente y segura. Para que ello sea posible, los Estados miembros tienen que confiar en la emisión y la garantía de la identidad electrónica del otro Estado miembro.

Además, surge la necesidad de superar problemas como la ausencia de seguridad jurídica, debida a la heterogeneidad de las disposiciones nacionales que derivan de interpretaciones divergentes de la Directiva sobre la firma electrónica, y la falta de interoperabilidad de los sistemas establecidos a nivel nacional, debida a la aplicación no uniforme de las normas técnicas, exige el tipo de coordinación entre los Estados miembros que puede lograrse más eficazmente a nivel de la UE.

Para solventar lo anterior, el Reglamento 910/2014 recurre la cooperación de los Estados miembros debe contribuir a la interoperabilidad técnica de los sistemas de identificación electrónica notificados con vistas a fomentar un nivel de confianza y seguridad elevados, adaptados al grado de riesgo.

El intercambio de información y de las mejores prácticas entre los Estados miembros, con miras a su reconocimiento mutuo, debe facilitar dicha cooperación, en el sentido que se marca en la Decisión de Ejecución 2015/296 de la Comisión, de 24 de febrero de 2015, por la que se establecen las modalidades de procedimiento para la cooperación entre los Estados miembros en materia de identificación electrónica con arreglo al artículo 12, apartado 7, del Reglamento 910/2014.

Todo ello con el objetivo proporcionar un marco jurídico general aplicable, tanto a los servicios de gestión de la identidad como a los servicios de confianza, con disposiciones adecuadas que faciliten la interoperabilidad jurídica y técnica. Una de las cuestiones principales que se plantean, con respecto al comercio transfronterizo, es la seguridad y la confidencialidad de la información transmitida por Internet. Se utiliza un sistema de gestión de la identidad para resolver esa cuestión.

La gestión de la identidad es un conjunto de funciones y capacidades (por ejemplo, administración, gestión y mantenimiento, descubrimiento, intercambios de comunicaciones, correlación y vinculación, cumplimiento de una política, autenticación y asertos) que se utilizan para: a) garantizar la información de identidad (por ejemplo, identificadores, credenciales, atributos); b) garantizar la identidad de una entidad; y b) habilitar aplicaciones de negocios y de seguridad[55].

En este sentido, el marco de interoperabilidad que se pretende establecer consiste, tal y como determina el artículo 1 del Reglamento de Ejecución en relación con el artículo 12, 4 del Reglamento 910/2014, en:

- Los requisitos técnicos mínimos relativos a los niveles de seguridad como se establece en los artículos 3 y 4 del presente Reglamento de Ejecución, tal y como se contempla en el artículo 8 del Reglamento 910/2014 y, al mismo tiempo se remite al Reglamento de Ejecución Reglamento de Ejecución 2015/1502, sobre la fijación de especificaciones y procedimientos técnicos mínimos para los niveles de seguridad de medios de identificación electrónica y a la Decisión de Ejecución (UE) 2015/1505 en cuanto a que los Estados miembros tienen la obligación de establecer, mantener y publicar listas de confianza, de manera segura, firmadas o selladas electrónicamente en una forma apropiada para el tratamiento automático y de

---

55 UNCITRAL, C*uestiones jurídicas relacionadas con la gestión de la identidad y los servicios de confianza Términos y conceptos relativos a la gestión de la identidad y los servicios de confianza,* Nueva York, 24 a 28 de abril de 2017, p. 6.

notificar a la Comisión los organismos responsables del establecimiento de las listas de confianza nacionales (artículo 4 de la citada Decisión).

- Una correlación entre los niveles de seguridad nacionales de los sistemas de identificación electrónica y los niveles de seguridad contemplados, al igual que el anterior, en los artículos 3 y 4 del presente Reglamento de Ejecución, en el artículo 8 del Reglamento del Reglamento 910/2014 y en el Reglamento de Ejecución 2015/1502, sobre la fijación de especificaciones y procedimientos técnicos mínimos para los niveles de seguridad de medios de identificación electrónica.
- Los requisitos técnicos mínimos para la interoperabilidad, en el sentido que determina en los artículos 5 y 8 del presente Reglamento de Ejecución, en éste aspecto sería aplicable el Reglamento de Ejecución 2015/1501 sobre el marco de interoperabilidad. Por otro lado, para las especificaciones técnicas, en que lo justifique el proceso de aplicación del marco de interoperabilidad, la Red de Cooperación establecida por la Decisión de Ejecución 2015/296 la Comisión podrá adoptar dictámenes, sobre la necesidad de desarrollar especificaciones técnicas. Estas especificaciones técnicas deberán proporcionar

más detalles sobre los requisitos técnicos establecidos en el presente Reglamento (artículo 12 del Reglamento de Ejecución). Los dictámenes la Comisión, en cooperación con los Estados miembros, desarrollará las especificaciones técnicas como parte de las infraestructuras de servicios digitales del Reglamento 1316/2013 del Parlamento Europeo y del consejo de 11 de diciembre de 2013 por el que se crea el Mecanismo "Conectar Europa", por el que se modifica el Reglamento 913/2010 y por el que se derogan los Reglamentos 680/2007 y 67/2010.

- Un conjunto mínimo de datos de identificación de la persona que representan de manera única a una persona física o jurídica, que deberán cumplirse cuando se utilice en un contexto transfronterizo y que está disponible en los sistemas de identificación electrónica. Los requisitos se establecen en el artículo 11 y en el anexo de este Reglamento de Ejecución.
- Un conjunto de normas comunes operativas, en el sentido que determina en los artículos 6, 7, 9 y 10 del Reglamento de Ejecución, basado en el entendimiento común de los conceptos fundamentales en referencia a privacidad y confidencialidad de datos, integridad y autenticidad de los datos para la comunicación,

formato de los mensajes para la comunicación, gestión de los metadatos y la información de seguridad y seguridad de la información y normas de seguridad. De esta forma, se trata de evitar la vulnerabilidad de la misma, por ello, la importancia a fin de garantizar su disponibilidad (el acceso legítimo a la información en los términos fijados por su titular), su confidencialidad (que excluye la puesta a disposición de personas o usos no autorizados) y su integridad (referida a su no modificación)[56].

- Disposiciones para la solución de litigios, como se establece en el artículo 13, En la medida de lo posible, cualquier litigio relacionado con el marco de interoperabilidad será resuelto por los Estados miembros afectados por medio de una negociación. Si no se llega a ninguna solución, la Red de Cooperación establecida de conformidad con lo dispuesto en el artículo 12 de la Decisión de Ejecución (UE) 2015/296 de la Comisión tendrá competencia en el litigio de acuerdo con su reglamento de procedimiento.

56 DE MIGUEL ASENSIO, P. A., *Derecho privado de internet*, Ed. Aranzadi, Madrid, 2023, p. 383.

Visto lo anterior, en el plano jurídico parece que se empieza a vislumbrar normas básicas comunes, que pueden poner fin a dificultad del reconocimiento marcos de confianza mutua, mediante la plasmación de los requisitos de interoperabilidad en especificaciones y normas para los servicios digitales.

– Decisión de Ejecución (UE) 2015/1984 de la Comisión, de 3 de noviembre de 2015, por la que se definen las circunstancias, formatos y procedimientos de notificación con arreglo al artículo 9, apartado 5, del Reglamento (UE) n° 910/2014 del Parlamento Europeo y del Consejo, relativo a la identificación electrónica y los servicios de confianza para las transacciones electrónicas en el mercado interior [notificada con el número C(2015) 7369] (Texto pertinente a efectos del EEE)[57].

---

57 Decisión de Ejecución (UE) 2015/1984 de la Comisión, de 3 de noviembre de 2015, por la que se definen las circunstancias, formatos y procedimientos de notificación con arreglo al artículo 9, apartado 5, del Reglamento (UE) n° 910/2014 del Parlamento Europeo y del Consejo, relativo a la identificación electrónica y los servicios de confianza para las transacciones electrónicas en el mercado interior. Disponible en: http://eur-lex.europa.eu/legal-content/ES/TXT/?qid=1490352323537&uri=CELEX:32015D1984 (Última visita: 5 de abril de 2025).

El intercambio de información, experiencia y buenas prácticas, entre los Estados miembros facilita el desarrollo de los sistemas de identificación electrónica y sirve como herramienta para alcanzar la interoperabilidad técnica.

Por ello, sabiendo que la organización de los sistemas de identificación electrónica varía entre los Estados miembros, abarcando la participación de entidades del sector público y del privado, se opta por aprobar esta Decisión de Ejecución, que viene a establecer circunstancias, formatos y procedimientos de notificación a la Comisión de los sistemas de identificación electrónica, de conformidad con el artículo 9, 5 del Reglamento (UE) nº 910/2014.

Esta Decisión parte de la idea de la necesidad de una cooperación de este tipo se justifica específicamente en caso de introducirse adaptaciones en sistemas de identificación electrónica ya notificados o modificaciones de los sistemas de identificación electrónica sobre los que se haya facilitado información a los Estados miembros antes de la notificación, así como en caso de producirse acontecimientos o incidentes importantes que puedan afectar a la seguridad o a la interoperabilidad de los sistemas de identificación electrónica. Asimismo, los Estados miembros deben disponer de los medios necesarios para solicitar este tipo de información relativa a la interoperabilidad y la seguridad de los sistemas de identificación electrónica de los demás Estados miembros[58].

Así, puede observarse que esta Decisión guarda relación con el artículo 12,6 del Reglamento 910/2014, que regula en detalle la Decisión de Ejecución 2015/296 de la Comisión y que exige la utilización de la lengua inglesa, se opta por adoptar la misma solución a efectos de la notificación de los sistemas de identificación electrónica debería facilitar la consecución de la interoperabilidad y la seguridad de los sistemas[59].

Asimismo, guarda relación con el 7, g) del Reglamento nº 910/2014, respecto a y artículo 10, 2 de la Decisión de Ejecución 2015/296, respecto a la notificación que un Estado miembro debe efectuar a los demás Estados miembros, a efectos de la obligación a que se refiere el artículo 12, 5, una descripción de este sistema, de conformidad con las modalidades de procedimiento establecidas en los actos de ejecución a los que se refiere el artículo 12, apartado 7, como condición previa para el reconocimiento mutuo de los medios de identificación electrónica.

---

58 Considerando 5 del Reglamento 910/2014.

59 Considerando 2 de la Decisión de Ejecución (UE) 2015/1984 de la Comisión, de 3 de noviembre de 2015.

A fin de garantizar la uniformidad de la notificación se establece un formulario, que figura en el anexo y al que se refiere, en lo relativo a su cumplimentación en el artículo de la Decisión.

Por último, la Decisión de Ejecución guarda relación con el artículo 9, 3, del Reglamento 910/2014, en relación a las modificaciones de la lista de los sistemas de identificación electrónica notificados y la información básica al respecto, en tanto en cuanto puede darse a una nueva notificación.

- Decisión de Ejecución (UE) 2016/650 de la Comisión, de 25 de abril de 2016, por la que se fijan las normas para la evaluación de la seguridad de los dispositivos cualificados de creación de firmas y sellos con arreglo al artículo 30, apartado 3, y al artículo 39, apartado 2, del Reglamento (UE) n.° 910/2014 del Parlamento Europeo y del Consejo, relativo a la identificación electrónica y los servicios de confianza para las transacciones electrónicas en el mercado interior (Texto pertinente a efectos del EEE)[60].

---

60 Decisión de Ejecución (UE) 2016/650 de la Comisión, de 25 de abril de 2016, por la que se fijan las normas para la evaluación de la seguridad de los dispositivos cualificados de creación de firmas y sellos con arreglo al artículo 30,

Mediante esta Decisión de Ejecución se vienen a establecer normas europeas sobre perfiles de protección para los dispositivos seguros de creación de firma, las UNE-EN 419211 (aplicable a la firma electrónica creada en un entorno íntegramente gestionado, aunque no necesariamente de forma exclusiva, por el usuario)[61] y la ISO/IEC 15408 (o también conocida como Common Criteria, con las que se trata de definir un criterio estándar a usar como base para la evaluación de las propiedades y características de seguridad de determinado producto o sistema IT y proporciona criterios y argumentos entendibles para los

---

apartado 3, y al artículo 39, apartado 2, del Reglamento (UE) n.° 910/2014 del Parlamento Europeo y del Consejo, relativo a la identificación electrónica y los servicios de confianza para las transacciones electrónicas en el mercado interior. Disponible en: http://eur-lex.europa.eu/legal-content/ES/TXT/?qid=1490352323537&uri=CELEX:32016D0650 (Última visita: 6 de abril de 2025).

61 En el anexo figura la norma EN 419 211, que consta de diferentes partes (1 a 6) que abarcan distintas situaciones. Las partes 5 y 6 de dicha norma presentan extensiones relacionadas con el entorno de los dispositivos cualificados de creación de firma, como la comunicación con aplicaciones de creación de firma de confianza. Los fabricantes de productos son libres de aplicar esas extensiones. De conformidad con el considerando 56 del Reglamento 910/2014.

diferentes perfiles de actores que se encuentran relacionados con las tecnologías de la seguridad)[62].

---

62 Los "Common Criteria" (ISO/IEC 15408) son el resultado de la unificación de las diferentes normativas internacionales confluyendo en un estándar único y común reconocido a nivel mundial. En el anexo se refiere a las: ISO/IEC 15408-1:2009 que establece los conceptos y principios generales de la evaluación de seguridad de TI y especifica el modelo general de evaluación dado por diversas partes de la norma ISO/IEC 15408 que en su totalidad está concebida para ser utilizada como base para la evaluación de las propiedades de seguridad de productos de TI; ISO/IEC 15408-2:2008 define el contenido y la presentación de los requisitos funcionales de seguridad para ser evaluados en una evaluación de seguridad con ISO/IEC 15408. Contiene un amplio catálogo de componentes funcionales de seguridad predefinidos, que satisfacen las necesidades de seguridad más comunes del mercado. Están organizados con una estructura jerárquica de clases, familias y componentes, y apoyado por amplias notas del usuario; ISO/IEC 15408-3:2008 define los requisitos de garantía de los criterios de evaluación. Incluye la evaluación niveles de garantía que definen una escala para medir el componente de aseguramiento para objetivos de evaluación (los dedos), el compuesto por paquetes de aseguramiento que definen una escala de medición de aseguramiento para dedos compuesto, los distintos componentes de aseguramiento a partir de la cual los niveles de garantía y paquetes son compuestas, y los criterios para la evaluación de los perfiles de protección y las metas de

El objetivo, en definitiva, es establecer un sistema de confianza en la firma electrónica para el impulso de la economía digital en Europa, mediante su uso en las transacciones entre consumidores, empresas y administraciones públicas.

Estas normas serán utilizadas en la certificación de los dispositivos cualificados de creación de firma, cuando los datos de creación de firma electrónica o los datos de creación de sello electrónico se conserven íntegramente, aunque no necesariamente de forma exclusiva, en un entorno gestionado por el usuario

De esta forma, se viene a elaborar las especificaciones técnicas necesarias para la producción y comercialización de productos, que se adecúen al estado actual

---

seguridad; ISO/IEC 18045:2008 es un documento complementario de la norma ISO/IEC 15408, la tecnología de la información–Técnicas de seguridad–criterios de evaluación de la seguridad de TI. ISO/IEC 18045:2008 define las acciones mínimas para ser realizada por un evaluador a fin de llevar a cabo una ISO/IEC 15408, usando los criterios de evaluación y pruebas de evaluación definidos en la norma ISO/IEC 15408. ISO/IEC 18045:2008 no define el patrón de ciertas acciones de alta garantía ISO/IEC 15408 componentes, donde todavía no hay acuerdo general en la orientación. Disponible en: https://www.iso.org/standards-catalogue/browse-by-tc.html (Última visita: 6 de abril de 2025).

de la técnica y la lleven a cabo las organizaciones competentes, en el ámbito de la normalización.

Estos estándares establecen requisitos mínimos de seguridad, que deben cumplir los diferentes dispositivos de creación de firmas electrónicas, para que sean seguros ante cualesquiera amenazas; como, por ejemplo, la falsificación de la firma electrónica, la suplantación de los datos a firmar, el almacenamiento, copia y liberación de los datos de creación de la firma o el mal uso de la función de creación de firma o los ataques físicos.

La conformidad de los dispositivos de creación de firmas y sellos electrónicos con estas normas otorga presunción de cumplimiento con los requisitos del Reglamento 910/2014. No obstante, dado que se están elaborando actualmente las normas que podrían ser adecuadas a tal fin, la Comisión completará la presente Decisión cuando esas normas estén disponibles y se consideren conformes a los requisitos establecidos en el anexo II del Reglamento 910/2014. Hasta el momento en que se establezca la lista de tales normas, puede utilizarse un proceso alternativo para evaluar la conformidad de esos productos en las condiciones previstas en el artículo 30, apartado 3, letra b), del Reglamento 910/2014.

c. Implicaciones del este enfoque en España

En España, con la entrada en vigor del Reglamento eIDAS se produce, como sabemos, la derogación de la Directiva sobre firma electrónica y la derogación implícita de la Ley 59/2003, en todo lo que contradijese o se opusiese al citado Reglamento. Finalmente, la citada Ley fue derogada, definitivamente, por la Ley 6/2020, de 11 de noviembre, reguladora de determinados aspectos de los servicios electrónicos de confianza, con el fin de desarrollar determinados aspectos relacionados con los prestadores de servicios de confianza que el Reglamento no armoniza, entre otros, nos referimos a determinados servicios basados en la utilización de firmas y sellos electrónicos, deben aportarse a los distintos trámites y procesos corporativos, garantías de identidad, integridad, confidencialidad y no repudio, y así, al proceso de identificación y obtención del consentimiento por vía electrónica[63].

En este sentido, si bien la Ley 59/2003 se reconocía tres tipos de firma electrónica (simple, avanzada y reconocida), aportando cada una de ellas distintos

---

63 ALAMILLO DOMINGO, I., "La nueva Ley de Servicios de Confianza y la firma electrónica cualificada obtenida por videoconferencia: ¿una oportunidad para el despliegue de la Administración electrónica?", *Diario La Ley*, N° 9740, 2020, pp. 3-22.

tipos de garantías en materia de Identidad, Integridad, Confidencialidad y No Repudio, dicha normativa no regulaba expresamente, ni reconocía, otro tipo de servicios de confianza, que basados en la utilización de firmas y sellos electrónicos, también aportan a los distintos trámites y procesos corporativos, garantías de identidad, integridad, confidencialidad y no repudio, y así, al proceso de identificación y obtención del consentimiento por vía electrónica.

Por otro lado, la Disposición final cuarta Ley 25/2015, de 28 de julio, de mecanismo de segunda oportunidad, reducción de la carga financiera y otras medidas de orden social, modifica algunos aspectos de la Ley 59/2003[64]. Asimismo, la Ley 39/2015, de 1 de octubre, del Procedimiento Administrativo Común de las Administraciones Públicas, incluye un nuevo apartado 11 en el artículo 3, en relación a los sistemas de identificación y firma electrónica previstos en la citada Ley 39/2015 de Procedimiento Administrativo Común de las Administraciones Públicas y en la Ley 40/2015 de Régimen Jurídico del Sector Público tendrán plenos efectos jurídicos.

---

64 La Ley 25/2015, de 28 de julio, en su Disposición final cuarta modifica la Ley 59/2003 en sus artículos: 3,2; 6,3; 12,c); 18,a); 18,b) ,1º; 20, 1,e); 23, b) y c) y 29,5).

Por otro lado, para dar cabida en el Ordenamiento jurídico español el Reglamento 910/2014, la Ley 39/2015 establece sistemas de identificación y de firma electrónica, así como la simplificación de los medios para acreditar una u otra, de modo que, con carácter general, sólo será necesaria la primera, y se exigirá la segunda cuando deba acreditarse la voluntad y consentimiento del interesado.

De esta forma, con carácter básico, se introducen un conjunto mínimo de categorías de medios de identificación y firma a utilizar por todas las Administraciones. En particular, se admitirán como sistemas de firma: los sistemas de firma electrónica reconocida o cualificada y avanzada basados en certificados electrónicos cualificados de firma electrónica, que comprenden tanto los certificados electrónicos de persona jurídica como los de entidad sin personalidad jurídica; los sistemas de sello electrónico reconocido o cualificado y de sello electrónico avanzado basados en certificados cualificados de sello electrónico; así como cualquier otro sistema que las Administraciones Públicas consideren válido, en los términos y condiciones que se establezcan. Se admitirán como sistemas de identificación cualquiera de los sistemas de firma admitidos, así como sistemas de clave concertada y cualquier otro que establezcan las Administraciones Públicas.

Por otro lado, la Ley 40/2015 se viene a establecer adaptaciones, para dar cumplimento a lo establecido en Reglamento 910/2014, en materia de funcionamiento electrónico del Sector Público (sede electrónica, Portal de internet, sistemas de identificación de las AA.PP., actuación administrativa automatizada, sistemas de firma para la actuación administrativa automatizada, firma-e del personal al servicio de las AA.PP., aseguramiento e interoperabilidad de la firma-e, archivo electrónico de documentos); gestión compartida de servicios comunes (sistemas de información y comunicaciones); técnicas de colaboración (suministro de Información, sistemas integrados de información administrativa); intercambio de datos en entornos cerrados de comunicación, transmisiones de datos entre AA.PP.; Esquema Nacional de Interoperabilidad y Esquema Nacional de Seguridad, reutilización de sistemas y aplicaciones de propiedad de la Administración y transferencia de tecnología entre Administraciones[65].

Con las citadas adaptaciones, se trata de establecer la obligación de que las Administraciones Públicas se

---

65 Las citadas adaptaciones se contenían en la Ley 11/2007, de 22 de junio, en lo relativo al funcionamiento electrónico del sector público y algunas de las previstas en el Real Decreto 1671/2009, de 6 de noviembre, por el que se desarrolla parcialmente la anterior.

relacionen entre sí por medios electrónicos, previsión que se desarrolla posteriormente en el título referente a la cooperación interadministrativa mediante una regulación específica de las relaciones electrónicas entre las Administraciones. Para ello, también se contempla como nuevo principio de actuación la interoperabilidad de los medios electrónicos y sistemas y la prestación conjunta de servicios a los ciudadanos.

En la actualidad, se está trabajando en un nuevo Código Mercantil[66], inspirándose en las Leyes Modelo de CNUDMI/UNCITRAL sobre contratación y firmas electrónicas de 1.996 y 2001 respectivamente, con el fin de regular las formas especiales de celebración de contratos mercantiles que las nuevas tecnologías y la práctica han consagrado, poniendo en práctica los grandes principios de la contratación electrónica, esto es, la equivalencia funcional, la neutralidad tecnológica, la inalteración del derecho preexistente, la libertad de pacto y la buena fe.

---

66 El 30 de mayo de 2014 fue presentado el Anteproyecto de Ley de Código Mercantil. Actualmente se encuentra en tramitación, en fase de información al Consejo de ministros.
Disponible en: http://www.mjusticia.gob.es/cs/Satellite/es/1215198252237/ALegislativa_P/1288774452773/Detalle.html (última visita: 24 de junio de 2025).

El nuevo Código, de momento se abstiene de legislar sobre la firma electrónica por entender que su uso y disciplina, si bien han surgido en el ámbito negocial y mercantil, se encuentran en la actualidad extendidas a la gran mayoría de las actividades documentales y a las diferentes ramas del ordenamiento. Sin embargo, cuestiones de importancia práctica, carentes hasta el momento de disciplina[67] de rango superior, adquieren estatuto legal en esta ocasión; tal es el caso de la factura electrónica, la solución de los problemas derivados del intercambio de soportes documentales o la cada vez más utilizada y en más elevadas cuantías contratación electrónica automatizada[68].

---

67 Este Proyecto de Ley de Código Mercantil se encuentra en total sintonía con los trabajos que se están desarrollando en la CNUDMI sobre documentos electrónicos transferibles. Véase, en el apartado de este mismo capítulo referente a la actividad de la propia CNUDMI posterior a la Convención de 2005.

68 Así, el Artículo 421,7 de la Propuesta de Código Mercantil elaborada por la Sección de Derecho Mercantil de la Comisión General de Codificación, intitulado "Documento y firma electrónicos" dice: "1. Toda comunicación electrónica goza de la naturaleza de documento electrónico de acuerdo con las disposiciones aplicables de la legislación sobre firma electrónica. 2. Toda comunicación electrónica emitida con fines negociales habrá de poder ser atribuida a su emisor. A tal fin, salvo

d. Hacia un tercer enfoque normativo: hacia una identidad digital europea

Con fecha 3 de junio de 2021, la Comisión Europea ha elaborado una Propuesta de Reglamento por el que se modifica el Reglamento eIDAS en lo que respecta al establecimiento de un Marco para una Identidad Digital Europea, al considerarse que el Reglamento actual no consigue dar respuesta a estas nuevas demandas del mercado debido a las escasas posibilidades que tienen los prestadores privados en línea para conectarse al sistema, a la disponibilidad insuficiente de soluciones de identidad electrónica en todos los Estados miembros y a la falta de flexibilidad del sistema para admitir diversos tipos de casos de uso.

Entre las novedades del citado proyecto, se pretende desarrollar un Marco para una Identidad Digital Europea, mediante el uso de las de las tecnologías de registro distribuido (TRD), lo que será objeto de estudio más adelante, con el fin de crear un marco seguro para la identificación electrónica, para que todos las personas, físicas o jurídicas, puedan controlar sus propias interacciones, así como su presencia en línea.

---

disposición o pacto en contrario, podrá ser utilizada una firma electrónica apropiada a los fines perseguidos y las circunstancias del caso".

Además, la propuesta de Reglamento modifica el Reglamento 910/2014 en lo que respecta al establecimiento de un Marco para una Identidad Digital Europea, ya que el Reglamento actual no consigue dar respuesta a estas nuevas demandas del mercado, lo que se debe, fundamentalmente, a sus limitaciones (inherentes al sector público), a las escasas posibilidades que tienen los prestadores privados en línea para conectarse al sistema (y la complejidad que presenta dicha conexión para ellos), a la disponibilidad insuficiente de soluciones de identidad electrónica en todos los Estados miembros y a la falta de flexibilidad del sistema para admitir diversos tipos de casos de uso.

La propuesta trata de dar un enfoque armonizado con respecto a la seguridad, tanto para los ciudadanos que utilicen una identidad digital europea con fines de representación en línea como para los proveedores de servicios en línea, que podrán confiar plenamente en las soluciones de identidad digital y aceptarlas con independencia de dónde se hayan expedido. La propuesta implica un cambio para los emisores de soluciones de identidad digital europea, al proporcionar una arquitectura técnica, un marco de referencia y normas comunes que se desarrollarán en colaboración con los Estados miembros. De esta forma, se propone un Marco para una Identidad Digital Europea que ofrezca a los usuarios unas carteras digitales personales autodeterminadas que faciliten un acceso fácil y seguro a los distintos servicios, tanto públicos como privados, bajo su control total. Asimismo, la propuesta crea un nuevo servicio de confianza cualificado para la declaración de atributos que conciernen a información relativa a la identidad, como direcciones, edad, género, estado civil, composición familiar, nacionalidad, cualificaciones y títulos educativos y profesionales, licencias, otros permisos y datos de pago, los cuales pueden ofrecerse, compartirse e intercambiarse a nivel transfronterizo, en condiciones de total seguridad y protección de datos y con efectos jurídicos a través de las fronteras[69]. Estas cuestiones las iremos viendo a lo largo del siguiente capítulo.

Esta propuesta ha sido aprobada dando lugar al Reglamento (UE) 2024/1183 del Parlamento Europeo y del Consejo, de 11 de abril de 2024, por el que se modifica el Reglamento (UE) nº 910/2014 en lo que respecta al establecimiento del marco europeo de identidad digital, que se desarrollará de manera definitiva en 2026, incluida su nueva solución de Monedero de Identidad Digital de cada Estado Miembro para sus residentes, ciudadanos y empresas. Los criptosistemas de

---

69 RECOMENDACIÓN (UE) 2021/946 DE LA COMISIÓN de 3 de junio de 2021 sobre un conjunto de instrumentos común de la Unión para adoptar un enfoque coordinado de cara a un Marco para una Identidad Digital Europea.

clave pública ampliamente utilizados, incluidos los de los prototipos actuales de Monedero, utilizan firmas electrónicas y autenticación que deberán ser reemplazados por criptografía resistente a la post-cuántica.

En abril de 2024, la UE recomendó acciones generales por parte de los Estados Miembros para prepararse para la capacidad cuántica. En este contexto, el Monedero de Identidad Digital Europeo podría ser el punto de partida para un debut impactante de herramientas de criptografía híbrida "resistente a la post-cuántica" para alinear a los Estados Miembros en la transición.

De esta forma, lo que se pretende es adaptar el Reglamento eIDAS a la acelerada transformación tecnológica y a las crecientes exigencias sociales de seguridad, interoperabilidad y control ciudadano sobre los datos personales. Así, la dimensión transfronteriza de la identificación digital obliga a superar aproximaciones estatales fragmentarias, pues la confianza en el entorno electrónico se erige en condición sine qua non para el funcionamiento del mercado interior. Así el nuevo reglamento, conocido como eIDAS 2, responde a esa necesidad, integrando la noción de la cartera europea de identidad digital como elemento central del ecosistema.

En términos de Derecho internacional privado, la reforma reviste una importancia capital. La identidad digital constituye, en efecto, una categoría funcional destinada a desplegar eficacia jurídica más allá de las fronteras estatales. El nuevo marco normativo dota de un estatuto europeo a la identidad digital, con el doble objetivo de garantizar su reconocimiento mutuo entre los Estados miembros y de facilitar el ejercicio de derechos y obligaciones en situaciones transfronterizas. Ello conecta con la lógica tradicional de nuestra disciplina la creación de instrumentos de coordinación que permitan la eficacia extraterritorial de los actos jurídicos. Si en el pasado el art. 9.1 del Código Civil español resolvía la cuestión de la ley personal a través de la nacionalidad, hoy el Reglamento europeo impone considerar que la identidad digital, certificada y gestionada conforme a los estándares de eIDAS 2, posee una vocación de reconocimiento inmediato en cualquier foro de la Unión.

La identidad digital no es solo un mecanismo técnico, sino un presupuesto para la efectividad de los derechos subjetivos en un entorno globalizado. Por ello, la ciudadanía europea digital, en consecuencia, se convierte en una categoría de integración jurídica que trasciende el dato meramente tecnológico. Con ello, debe advertirse como el el Reglamento incorpora un elemento de notable relevancia como el historial inviolable de transacciones, lo que nos va a llevar a la trazabilidad de las operaciones de identificación y autenticación, sin posibilidad de manipulación por el proveedor del servicio, se configura como una garantía de integridad, con un impacto directo en la prueba de la identidad en procedimientos judiciales y administrativos de carácter transfronterizo. Por ese motivo, identidad digital se inserta en la misma lógica de confianza que inspira los instrumentos de cooperación judicial civil de la Unión.

En este sentido, como se verá más adelante, el Reglamento (UE) 2024/1183 debe ser entendido como el pilar europeo de la identidad digital con proyección internacional, destinado a proporcionar certeza jurídica en el entorno electrónico y, con ello, puede afirmarse que va a constituir una pieza clave en el entramado jurídico transfronterizo.

Capítulo II

La identidad electrónica

I. CONSIDERACIONES PREVIAS

Como punto de partida, debe tenerse en cuenta un error muy común y es que la firma electrónica no puede garantizar la identidad de la persona, ni si se ha utilizado o no con o sin consentimiento. No obstante, si podemos afirmar que estas firmas pueden ser signos de identidad, porque sabemos que forzosamente son atributos de identidad. Dicho lo esto, pensemos que la identidad electrónica, es una cuestión compleja que se sitúa en los aspectos operacionales más sensibles y frágiles, a nivel tecnológico y jurídico. La importancia de la e-Identidad ha comenzado a sentirse a medida que nuestra sociedad ha evolucionado. Nos hemos acostumbrado y dependemos, en muchos casos, de un usuario y una contraseña, que a veces nos proporcionan una seguridad mínima, otorgando así un cierto nivel de utilidad y "confianza" subyacente[70].

---

70 SALINAS HINOJOSA, F. D., "Tokens De Seguridad", *Revista de Información, Tecnología y Sociedad*, núm. 8, 2013, pp. 3-27.

De manera genérica, podemos decir que la identidad es lo que permite a cualquier persona ser distinguible. Esto hace de la identidad un componente clave en cualquier transacción; es decir, la capacidad de vincular un conjunto de información a su propietario y el manejo eficaz y seguro de los datos específicos de la esa persona es esencial para que las transacciones que se vayan a realizar puedan tener éxito.

Una identidad, en la vida real, se establece a partir de un conjunto de características vinculadas a la propia persona, como puede ser, por ejemplo, el nombre, altura, fecha de nacimiento, número de identificación fiscal, domicilio, etc. que en suma constituyen un DNI, es decir, una identificación nacional. En el mundo en línea[71], la identidad se puede atribuir al conjunto de rasgos que caracterizan al individuo o a un colectivo en un medio de transmisión electrónico; es decir, hablamos de un conjunto de informaciones y datos relevantes para una persona, física o jurídica, que se almacenan y se trasmiten a través de los sistemas electrónicos y se utiliza con el fin de identificar a una persona.

---

71 STALLINGS, W., *Fundamento de seguridad en Redes: Aplicaciones y Estándares*, Ed. Prentice Hall, Madrid, 2014, p. 9.

La identidad importa mucho y su significado plantea grandes dificultades[72]. Los problemas reales que se sustentan respecto a la identidad nacional y su impacto en la sociedad, por la combinación que realizan respecto de la identificación en el mundo real y del mundo en línea, si bien en ambos ámbitos se presentan como documentos de identificación nacionales y, a la vez, ante la sociedad estatal con las mismas vulnerabilidades respecto a la sustracción de la identidad con todo lo que ello supone, especialmente respecto a la inseguridad; pues, los ciudadanos ven en la red probabilidad mayor en que la amenaza se materialice[73].

Pensemos que la identidad, antiguamente, era una cuestión de confianza entre las partes, una especie de trato extendido, en el que, con un apretón de manos, se cerraba el trato, quizá porque previamente había un conocimiento de la persona con la que se estaba tratando, bien porque se había negociado antes con él o bien porque los vecinos habían informado o conocían de su existencia. Asimismo, la buena fe, ligada a la confianza, como un imperativo ético que ha regido el comercio

---

72 MERCHAN MURILLO, A., "Cuestiones esenciales en torno a la identidad electrónica", *La Ley mercantil*, N°. 42 (diciembre), 2017, pp. 3-17.

73 MERCHÁN MURILLO, A., *Firma Electrónica: Funciones y Problemática*, Ed. Thomson Reuters-Aranzadi, Pamplona, 2016, p. 185.

hasta la actualidad. Así, podemos encontrar en nuestro ordenamiento claras referencias a la buena fe, como reconocimiento de protección a la confianza en una apariencia jurídica[74].

Ahora la identidad electrónica surge en un contexto en que se destaca la falta de contacto personal y/o la falta de relación entre contratantes. Esto plantea una serie de problemas que afectan a la confidencialidad, a la fiabilidad, a la seguridad y, muy especialmente, a la identificación de los participantes. Por ello, surge la necesidad de vincular la información y su manejo únicamente con quien la emite se hace esencial para numerosas interacciones diferentes: una infraestructura organizativa (gestión de la identidad) y una infraestructura técnica (sistemas de gestión de identidad), para desarrollar, definir, designar, administrar y especificar los niveles de autorización, asignando roles y atributos

---

[74] Por ejemplo, el Artículos 464 del Código civil: "La posesión de los bienes muebles, adquirida de buena fe, equivale al título. Sin embargo, el que hubiese perdido una cosa mueble o hubiese sido privado de ella ilegalmente, podrá reivindicarla de quien la posea. Si el poseedor de la cosa mueble perdida o sustraída la hubiese adquirido de buena fe en venta pública, no podrá el propietario obtener la restitución sin reembolsar el precio dado por ella..."; Artículo 1164: "El pago hecho de buena fe al que estuviere en posesión del crédito, liberará al deudor".

de identidad relacionados con grupos específicos de personas, como los empleados, clientes, pacientes o simplemente ciudadanos.

En la vinculación surgen cuestiones relacionadas con la confianza, que debe llevarnos a preguntarnos el por qué confiamos en alguien o un servicio, teniendo presente que, en asuntos electrónicos, la confianza se deriva de la fe en la confiabilidad de que una persona es quien dice ser o que un sistema funciona adecuadamente, en base a una presunción de autenticidad y precisión, que puede incurrir en errores, que incluyen hasta los falsos positivo.

Por ello, debe partirse, del tipo de información utilizada, las circunstancias en las que se recopiló y registró originalmente, cómo se almacena y se transmite y, lo que es más importante, el proceso utilizado para comparar la información registrada con la información presentada para la realización de una transacción. Al mismo tiempo debemos preguntarnos si ¿el trato es en realidad con quien presenta la identidad, para la realización de la transacción o con otra persona? ¿Cuáles son las consecuencias si hay un mal funcionamiento del sistema, en el que la identidad de una persona se utiliza para las transacciones que éste no hizo?

Lo anterior, nos debe llevar a comprender la naturaleza de la transacción, si queremos entender el contexto de las decisiones de seguridad que se deben tomar y así analizar claramente la forma en que la identidad afecta a la transacción, de cara a poder tener una mejor comprensión de cuáles son los riesgos y qué medidas correctivas podrían ser necesarias. En este contexto debe apreciarse que, tradicionalmente, en el derecho contractual, por ejemplo, la identidad ha estado en gran parte en segundo plano, ya que la ley se centra en cuestiones tales como la capacidad, el consentimiento, el objeto y la causa. En definitiva, la identidad importa mucho y su significado ha ido cobrando importancia a medida que los problemas reales han ido asomando, por ejemplo, en casos de fraude. Este hecho ha supuesto que en el ámbito electrónico se apuntale la identidad y su impacto en la sociedad.

De esta forma, en un contexto electrónico, como hemos dicho anteriormente, nos encontramos ante la falta de contacto personal y/o la falta de relación entre contratantes, planteándose problemas que afectan a la confidencialidad, a la fiabilidad, a la seguridad y, muy especialmente, a la identificación de los participantes. A lo anterior, debe añadirse la internacionalización, del contexto en el que se suele desarrollar, lo que nos sitúa en un contexto complejo con soluciones distintas, que pueden provocar obstáculos transfronterizos al propio comercio, lastrando su funcionamiento tanto para las empresas como para los ciudadanos.

Ante esto, pensemos que en la contratación presencial las partes tienen fácil la mutua identificación, o al menos el reconocimiento mutuo que aporta la presencia física. En los contratos electrónicos, las partes no están físicamente presentes y, además, con frecuencia se desconocen. Este hecho nos debe llevar a cubrir el hueco que provoca la escindibilidad entre la firma electrónica y su titular, pues se debe buscar la forma a través de la cual se garantice un título de legitimación en el uso de la firma electrónica, siempre que se utilice de buena fe.

Para ello, surge la necesidad de superar una visión del consentimiento contractual actual, centrado sobre el pilar de la voluntad subyacente. Las nuevas tecnologías invitan a profundizar en un consentimiento contractual fundado, no en la voluntad del declarante, sino en la responsabilidad o la asunción de los riesgos propios del "tráfico jurídico informático"[75]; pues, como indica el Profesor MADRID PARRA[76] desde un punto de vista jurídico, se le imputarán todos los efectos jurídicos al titular ya que, dejando al

---

75 CAVANILLAS MÚGICA, S., "Informática y teoría del Contrato", *X años de encuentros sobre informática y Derecho*, pp. 269-272.

76 MADRID PARRA, A., "Seguridad, pago y entrega en el comercio electrónico", *Revista de Derecho Mercantil*, núm. 241, 2001, pp. 1189-1264.

margen los supuestos delictivos de obtención fraudulenta de una firma electrónica, en la mayoría de los casos de cesión voluntaria de la firma electrónica sobre la base de la confianza en otra persona, será jurídicamente irrelevante que no haya sido el titular de la firma quien efectivamente la haya aplicado, ya que la persona confía en la que firma, aunque surja el riesgo[77] de que no es quien dice ser, debe actuar en consecuencia: evaluando el riesgo y protegerse del mismo. Por ello, en el balance del riesgo está la confiabilidad, que nos llevará a una firma más fiable y/o más segura.

Es importante cuestionar los elementos que contribuyen a la confianza y la fiabilidad, para robustecer los pilares fundamentales que sustentan la buena fe en la transacción. Por ello, debemos preguntarnos el por qué confiamos en alguien o un servicio, teniendo presente que, en asuntos electrónicos, la confianza se deriva de la fe en la confiabilidad de una persona o un sistema. Asimismo, en las operaciones electrónicas que se realizan por Internet, es necesario verificar la identidad del depositario de un sitio web, con objeto de poder comprobar que la web pertenece al sujeto

---

77 SCHAPPER, P.R.; RIVOLTA, M.; VEIGA, J., "Risk and law in authentication", *Digital evidence and electronic signature law review,* octubre, 2006, núm. 6, pp. 12-18.

de derecho que afirma estar a cargo de su funcionamiento y que él es, efectivamente, quién la administra.

En este punto, resulta importante que las partes se identifiquen correctamente al comienzo de las negociaciones, para evitar que se eximan de responsabilidad[78], por ejemplo, una muestra de la pretensión de exención de responsabilidad, en todos los ámbitos, se puede encontrar en eBay que establece que "*aunque utilizamos técnicas cuya finalidad es verificar la exactitud y veracidad de la información proporcionada por nuestros usuarios, la identificación de usuarios en Internet es difícil. eBay ni puede, ni confirma, ni asume responsabilidad alguna por garantizar, la exactitud o veracidad de las supuestas identidades de los usuarios o la validez de la información que nos proporcionen a nosotros o que publiquen en nuestros sitios*".

Dicho lo anterior, debe tenerse en cuenta que la contratación electrónica tradicionalmente se realiza, bien por el intercambio de correos electrónicos, en los que la verificación del contenido del e-mail se produce antes que la verificación del remitente ya que estamos ante una relación comercial, se repite entre las partes y genera una confianza; o bien a través de

---

78 MADRID PARRA, A., "Contratación electrónica y protección de datos personales", *Revista de Contratación Electrónica,* Núm. 94, junio, 2008, pp. 3-84.

páginas web en las que normalmente la voluntad se manifiesta a través de un formulario electrónico, elaborado por el prestador del servicio.

En esta realidad, constituida por las tecnologías de la información, interesa todo lo relacionado con la identidad de los contratantes y la confidencialidad de sus datos personales, la existencia y validez de sus declaraciones de voluntad, la autoría e integridad de sus mensajes electrónicos y el no rechazo del mensaje en su origen y destino, todo encerrado en su seguridad y validez jurídica y en la existencia del documento electrónico, así como su autenticación a través de la firma electrónica.

La importancia de la identidad electrónica es total para garantizar: que la persona que va a firmar es quien dice ser, ya que puede probarlo, así como la capacidad de obrar y la libertad de la actuación, a la hora de asumir el contenido del documento[79]. No olvidemos que la firma electrónica no puede garantizar la identidad de la persona ni si se ha utilizado o no con o sin consentimiento, por lo explicado anteriormente respecto a la escinbilidad de la firma electrónica. No obstante, si podemos afirmar que estas firmas

---

[79] MADRID PARRA, A., "La identificación en el comercio electrónico", *Revista de Contratación Electrónica*, núm. 15, abril 2001, pp. 3-60.

pueden ser signos de identidad, porque sabemos que forzosamente son atributos de identidad.

Tengamos presente que, hoy día, como hemos dicho anteriormente, nos hemos acostumbrado a realizar transacciones electrónicas, con carácter comercial o no, sin preguntarnos si los procesos y/o procedimientos electrónicos son suficientemente seguros, basta con que nos brinden un determinado nivel de seguridad, que otorga un cierto nivel de utilidad y "confianza" subyacente[80]. Lo cierto es que se presta muy poca atención a los procesos subyacentes, que recopilan la información y los datos utilizados para garantizar, por ejemplo, que somos quienes decimos que somos; pues, cuando una persona se inscribe para utilizar un determinado servicio electrónico, se crea una identidad electrónica. La creación de esta identidad electrónica supone establecer una relación de confianza mutua entre una persona y otra, lo que requiere conjugar estas relaciones bilaterales en un marco de confianza.

Ahora bien, en esta era de phishing, piratería informática, ingeniería social y robo de identidad, la respuesta a la pregunta "¿Quién es usted?" ha tomado

---

80 SALINAS HINOJOSA, F. D., "Tokens De Seguridad", *Revista de Información, Tecnología y Sociedad (RITS online)*, nº 8, La Paz, junio 2013, pp. 59-61.

una nueva dimensión. En un entorno en línea autenticar la identidad de la parte remota es más importante que nunca. Desempeña un papel clave en la lucha contra el fraude de identidad y, además, es esencial para establecer una confianza necesaria que facilite cualquier tipo las transacciones electrónicas.

En este punto, conviene destacar que verificar la identidad de una persona o entidad que busca acceso remoto a un sistema corporativo de computación en nube, que crea una comunicación electrónica o que firma un documento electrónico, es lo que se llama "gestión de identidad"[81], que puede ser es bien proceso de reunión, verificación y validación de información de atributos adecuada acerca de un sujeto concreto (persona física, persona jurídica, dispositivo u otro tipo de entidad) para definir y confirmar su identidad en un contexto específico; bien el proceso mediante el cual se valida y verifica información suficiente como para confirmar la identidad alegada por la entidad; o bien el proceso mediante el cual la autoridad de registro obtiene y verifica suficiente información para identificar una entidad con un nivel de garantía especificado o tácito.

---

81 UNICTRAL, *Cuestiones jurídicas relacionadas con la gestión de la identidad y los servicios de confianza. Términos y conceptos relativos a la gestión de la identidad y los servicios de confianza*, Nueva York, 24 a 28 de abril de 2017, p. 6.

La gestión de la identidad cada vez juega un papel más importante en el comercio en línea. Como ha señalado la Comisión Europea, la gestión de la identidad electrónica constituye un elemento clave para la prestación de cualquier servicio electrónico. Por otra parte, la identificación electrónica confiere a las personas que utilizan procedimientos electrónicos la garantía de que su identidad y sus datos personales no se utilizan sin autorización[82]. De esta forma, puede decirse que desempeña un papel clave en el establecimiento de relaciones de confianza para el comercio electrónico, el gobierno electrónico y muchas otras interacciones sociales.

En el actual entorno jurídico, los sistemas de gestión de la identidad y los servicios de confianza están sujetos, por una parte, a los requisitos previstos en leyes redactadas para otros fines (por ejemplo, el código de comercio y el código civil; las leyes sobre protección de datos); y, por otra, a acuerdos contractuales, cuya finalidad es garantizar el funcionamiento apropiado y la fiabilidad del sistema al definir las obligaciones de las partes. Existen pocas leyes que traten específicamente la utilización de la gestión de

---

[82] COMUSICÓN EUROPEA, Plan de acción sobre la firma electrónica y la identificación electrónica para facilitar la prestación de servicios públicos transfronterizos en el mercado único (COM (2008) 798 final), Bruselas, 28 de noviembre de 2008, p. 11.

la identidad y los servicios de confianza[83]. Asimismo, pueden observarse que existen otras disposiciones legislativas destinadas a atender a necesidades concretas de la industria, como las del sector bancario y los servicios de pago[84].

Dicho lo anterior, se plantea la ineludible necesidad de proteger los sistemas de información y las redes, los datos financieros, la información personal y otros activos contra el acceso no autorizado o el robo de identidad. Entre las ventajas[85] de ésta pueden figurar desde la perspectiva del prestador, mejoras de la seguridad, la facilitación del cumplimiento de las normas pertinentes y la agilización de las operaciones comerciales, así como, desde el punto de vista del usuario, la facilitación del acceso a la información.

Por ello, puede concluirse que la gestión de la identidad y los propios procedimientos de identificación

---

83 Por ejemplo, el Reglamento 910/2014 del Parlamento Europeo y del Consejo de 23 de julio de 2014 relativo a la identificación electrónica y los servicios de confianza para las transacciones electrónicas en el mercado interior.

84 Véase, las disposiciones de la Directiva (UE) 2015/2366 del Parlamento Europeo y del Consejo de 25 de noviembre de 2015, sobre servicios de pago en el mercado interior.

85 UNCITRAL, *Fomento de la confianza en el comercio electrónico: cuestiones jurídicas de la utilización internacional de métodos de autenticación y firma electrónica*, Viena, 2009, p. 62.

pueden servir de base para la definición de los niveles de confianza de los sistemas de identificación. Esos niveles de confianza podrían revestir la máxima importancia en la reglamentación de la interacción entre diferentes agrupaciones de confianza[86].

II. LA IDENTIDAD ELECTRÓNICA COMO CONCEPTO JURÍDICO

Históricamente, puede decirse que la identidad ha estado en un segundo plano a la hora de realizar cualquier tipo de transacción. Antes, la identidad, era buena fe o confianza entre las partes, era un apretón de manos, con el que se cerraba el trato, quizá porque, previamente, había conocimiento de la persona con la que se estaba tratando, bien porque se había negociado antes con él o bien porque los vecinos habían informado o conocían de su existencia, o bien te conocían cuando presentabas un documento en el registro administrativo de tu ciudad[87]. Asimismo,

---

86 UNCITRAL, *Cuestiones jurídicas relacionadas con la gestión de la identidad y los servicios de confianza*, Nueva York, 24 a 28 de abril de 2017, p. 7.

87 MERCHAN MURILLO, A., "Cuestiones esenciales en torno a la identidad electrónica", *La Ley mercantil*, N°. 42 (diciembre), 2017, pp. 3-17.

en contexto contractual, por ejemplo, generalmente, todo se centra en si existe o no acuerdo entre las partes ya que como decimos, la buena fe se presume y cada parte contratante identifica a la otra, como si fuera aquella persona que está físicamente presente, aunque esa presunción pueda ser refutada.

Ahora, en las transacciones en línea, la identidad es requerida como algo esencial, fundamentalmente, porque tanto el sector público como privado se han movido hacia la prestación de servicios en línea, con el fin de reducir costes, aumentar la eficiencia en la prestación de servicios y de reducir el fraude. Debe destacarse que la importancia de la identidad electrónica es total para garantizar: que la persona que va a firmar es quien dice ser, ya que puede probarlo, así como la capacidad de obrar y la libertad de la actuación, a la hora de asumir el contenido del documento, así como la confidencialidad de sus datos personales, la existencia y validez de sus declaraciones de voluntad[88].

Puede intuirse que la e-identidad surge en un contexto que destaca por la falta de contacto personal, lo que plantea una serie de problemas que afectan a la

---

[88] MADRID PARRA, A., "La identificación en el comercio electrónico", *Revista de Contratación Electrónica*, núm. 15, abril 2001, pp. 3-60.

confidencialidad, a la fiabilidad, a la seguridad y, muy especialmente, a la identificación de los participantes en la transacción; pues, la identidad es lo que permite a las personas físicas o jurídicas distinguirse, posibilitando que se vincule una información a una persona en concreto y, a la vez, realizar un manejo eficaz y seguro de los datos específicos del individuo. Esto hace de la identidad un componente clave en todas las transacciones económicas, sociales y administrativas.

Si en el mundo real, una identidad se establece a partir de un conjunto de características vinculadas a la propia persona, como puede ser, por ejemplo, el nombre, altura, fecha de nacimiento, número de identificación fiscal, domicilio, etc. que en suma constituyen un DNI, es decir, una identificación nacional. En el mundo en línea, la identidad se puede atribuir al conjunto de rasgos que caracterizan al individuo o a un colectivo en un medio de transmisión digital. A la persona se le atribuye una huella de un fichero, que se transforma a partir de unos datos de longitud variable que dan lugar a una serie de caracteres de longitud fija, que son únicos a partir de los datos de entrada; es decir, no existe otra entrada distinta que dé por resultado el mismo hash, huella o Digest[89].

---

[89] STALLINGS, W., *Fundamento de seguridad en Redes: Aplicaciones y Estándares*, Ed. Prentice Hall, Madrid, 2014, p. 15.

Dicho en otras palabras, la e-identidad es un conjunto de informaciones y datos relevantes para una persona, física o jurídica, que se almacenan y se trasmiten a través de los sistemas electrónicos y se utiliza con el fin de identificar a una persona; o bien, de manera más concreta, puede decirse que la identidad es un conjunto de atributos que permiten a un sujeto una persona, física o jurídica, distinguirse de manera inequívoca en un contexto particular, con el fin de identificar suficientemente al sujeto de los datos en el contexto en que sea necesario limitar de ese modo la identidad.

La necesidad de vincular la información y su manejo únicamente con quien la emite hace esencial para numerosas interacciones diferentes: una infraestructura organizativa (gestión de la identidad) y una infraestructura técnica (sistemas de gestión de identidad), para desarrollar, definir, designar, administrar y especificar los niveles de autorización, asignando roles y atributos de identidad relacionados con grupos específicos de personas, como los empleados, clientes, pacientes o simplemente ciudadanos.

En este contexto, surge la necesidad de establecer marcos de confianza, determinando normas y criterios, por las partes interesadas con garantías de que sus datos son legítimos; es decir, que son las personas que se identificaron a la hora de querer iniciar la transacción ("¿quién soy?", función de identificación). No obstante, en tal caso sólo nos referiríamos a una parte de la transacción que se iría a realizar, pues habría que prestar atención a la autenticación de la identidad ("¿Cómo puedo probarlo?", función de autenticación de la identidad). Por otro lado, también habría que proceder, tras la acción y efecto de identificar o identificarse, al proceso posterior de autenticar y/o autorizar la transacción que se va a realizar (función de autenticación de la transacción), a través de la firma electrónica[90]. De esta manera, una vez hecha la autenticación debida de una persona, la otra parte puede realizar su propio proceso de autorización, con mayores garantías.

El esquema anterior, nos lleva a tratar el proceso probatorio de identificación, que vendrá dado por la propia transacción y que a la vez debe permitir observar que existen credenciales adecuadas para verificar que los datos de la transacción pertenecen a la persona que hay detrás de la transacción; pues, como sabemos, la e-identidad es esencial en cualquier proceso de contratación, si observamos el propio entorno que la envuelve[91].

---

90 MERCHÁN MURILLO, A., *Firma electrónica: funciones y problemática*, Pamplona, 2016, p. 212.

91 SULLIVAN, C.: "Digital identity – From emergent legal concept to new reality", *Computer Law & Security Review*, 2018, vol. 34, núm. 4, pp. 723-731.

No obstante, debemos destacar, como hemos dicho al principio, casi siempre, nos hemos centrado en la necesidad de que la transacción se lleve a cabo de manera segura, sin tener en cuenta que una parte que contrata con otra puede ser o no quien dice ser, pudiendo ser, por tanto, en realidad otra persona. Además, la información de identificación, que se considera asociada inseparablemente a un individuo, puede que no lo sea porque este vínculo no es ni robusto ni infalible. Pueden producirse errores al vincular esta información con el individuo y en el procesamiento.

En este contexto, se debe profundizar en el tráfico jurídico informático en el que aparece el principio de equivalencia funcional, estableciendo los requisitos que debe reunir un método o proceso electrónico para cumplir las mismas funciones que el concepto análogo basado en papel. En este caso, hablamos de todos los elementos que contribuyen a la confianza y a la fiabilidad, para robustecer los pilares fundamentales que sustentan la buena fe en la transacción. Por ello, debemos preguntarnos el por qué confiamos en alguien o un servicio, teniendo presente que, en asuntos electrónicos, la confianza se deriva de la fe en la confiabilidad de una persona o un sistema.

Hablamos de métodos o procesos de suma importancia, que aumentan a medida que se incrementa el valor de la transacción, así como la necesidad de garantizar la disponibilidad y fiabilidad de la información exacta, acerca de la identidad de la parte que se encuentra a distancia[92], a fin de tomar una determinada decisión. La parte que confía dispone de dos opciones para verificar la identidad de la persona con la que está tratando, a saber, la parte que confía puede: efectuar la verificación de la identidad por sí misma, o bien recurrir a los servicios de gestión de la identidad prestados por un tercero. La mayoría de las partes que confían optan por lo primero[93].

III. LA IDENTIDAD ELECTRÓNICA Y LA PROPIEDAD DE LOS DATOS

a. Definición de datos

Cuestión habitual en las normas es que se hablen de datos. Ahora bien, los desarrollos normativos actuales, en conexión con las nuevas tecnologías, como la inteligencia artificial, han desarrollado la protección

---

92 MADRID PARRA, A., "Seguridad, pago y entrega en el comercio electrónico", *Revista de Derecho Mercantil*, núm. 241, 2001, pp. 1189-1264.

93 UNCITRAL, *Proyecto de disposiciones sobre la utilización y el reconocimiento transfronterizo de sistemas de gestión de la identidad y servicios de confianza. Comunicación del Banco Mundial*, Nueva York, 2020, pp. 2-3.

de datos personales, comenzando con el derecho fundamental al respeto de la vida privada o sobre el derecho fundamental a la protección de datos personales. Sin embargo, no se pensó en la propiedad de los datos, y aún menos por supuesto en la propiedad de los datos personales, en tanto en cuanto no se presenta una línea divisible de lo que son los datos personales y no personales[94]. Esta línea se presenta como un objetivo móvil y los datos que ahora se consideran datos no personales pueden convertirse en datos personales, gracias a los avances analíticos y tecnológicos[95].

En cualquier caso, lo que parece evidente es que resulta necesario explorar los límites conceptuales de la propiedad de los datos personales para proceder a los debates sobre la propiedad de datos no personales. Teniendo presente que los datos, sean personales o no, se deben reconocer como activos económicos clave, al menos para las empresas. Por tanto, evitar preguntas sobre su propiedad es retrasar la protección de los derechos digitales de los usuarios[96].

---

94 UNCITRAL, *Cuestiones jurídicas relacionadas con la economía digital: la inteligencia artificial*, Nueva York, 6 a 17 de julio de 2020.

95 MASON, S., *Electronic Evidence*, University of London Press, Londres, 2021, p. 167.

96 UNCITRAL, *Continuación de la labor relativa a la contratación automatizada*, Nueva York, 10 a 14 de abril de 2023.

En este contexto, lo primero que debe establecerse es un definición de lo que es un dato, que en nuestra opinión, desde un punto de vista amplio, y por tanto como punto de partida útil, en términos de uso, hablamos de aquellos que incluyen la salida de dispositivos analógicos o datos en formato digital, manipulados, almacenados o comunicados por cualquier dispositivo hecho por el hombre, ordenador o sistema informático o transmitidos a través de un sistema de comunicación, que tiene el potencial suficiente para ser gestionado vía internet y por tanto crear un relato fáctico probable y fiable. En esta definición enfatizamos la relevancia fáctica como un aspecto básico, por el potencial de los datos para tener un valor probatorio significativo, que se dirige a la investigación y recuperación de esos datos, ex ante o ex post en el momento del juicio.

La característica más destacada va a ser la interposición/mediación de la maquina y el sujeto con los datos, volviéndose inteligible mediante el uso de hardware y software, que crean un "el documento" que está en alguna "parte"[97], en formato archivo, y que no existe independientemente del proceso que lo recrea cada vez que un usuario lo abre en su ordenador.

---

97 UNCITRAL, *Cuestiones jurídicas relacionadas con la economía digital: continuación de la labor relativa a la contratación automatizada y progresos en otros aspectos,* Nueva York, 27 de junio a 15 de julio de 2022.

La comprensión profunda de este proceso es fundamental, ya que se pueden acumular información potencialmente útil en cada punto del proceso, ya que tanto el hardware como el software producen pruebas en forma de metadatos y registros, que pueden pasar desapercibidos para aquellos que desconocen su existencia[98]. Otra característica única de la interacción entre los datos y la tecnología es que, a menudo, solo se puede acceder a los datos a través de programas específicos a los que puede ser difícil acceder por tener los propios obsoletos[99].

Dicho lo anterior, partimos del artículo 4,1 del Reglamento 2016/679, de 27 de abril de 2016, relativo a la protección de las personas físicas en lo que respecta al tratamiento de datos personales y a la libre circulación de estos datos y por el que se deroga la Directiva 95/46/CE (RGPD)[100], que define los "datos personales" como "toda información sobre una persona física identificada o identificable". Esta definición

---

98 DIXIT, A., "Towards user-centered and legally relevant smart-contract development: A systematic literature review", *Journal of Industrial Information Integration,* Vol. 26, marzo, 2022.

99 PINHO, D., "What about the usability in low-code platforms? A systematic literature review", *Journal of Computer Languages,* Vol. 74, enero 2023.

100 DOUE de 4 de mayo de 2016 (L 119/1)

debemos ponerla en conexión con el considerando 68 que infiere la necesidad de reforzar el control sobre los datos propios de una persona, cuando el tratamiento de los datos personales se efectúe por medios automatizados. Con esto, parece referirse la propiedad de los datos, por parte de los interesados. No obstante, los datos personales aparecen en la definición del Reglamento como "información", en este caso, información personal, relacionada con una persona física[101], al igual que nuestra Ley Orgánica 3/2018, de 5 de diciembre, de Protección de Datos Personales y garantía de los derechos digitales (LOPDyDD)[102]. Ahora bien, debe observarse que existe una distinción conceptual clara entre los datos y la información, que tiene implicaciones cruciales para determinar la propiedad de los datos[103].

Los datos y la información son dos conceptos distintos[104], por razones obvias, no hay información sin

---

101 PRINS, J.E.J., "The propertization of personal data and identities", *E.J.C.L.*, núm.8, 2004, pp. 53-65.

102 BOE núm. 294, de 6 de diciembre de 2018, pp. 119788 a 119857

103 GARRIGA DOMÍNGUEZ, A., *Nuevos retos para la protección de datos personales en la era de las big data y de la computación ubicua,* Dykinson, Madrid, 2016, p. 106.

104 AZIZ, A.; TELANG, R., "What Is a Digital Cookie Worth?", *SSRN,* marzo, 2016, pp. 3-37.

datos; es decir, no debemos comprender la información como cualquier forma transmitir datos, ni la forma de tratar los datos como un activo del que se puede extraer información valiosa de futuro.

Con lo anterior, debemos hacer una reflexión: pensemos que un hecho no discutible es que la identidad es muy valiosa, especialmente, si nos movemos en un espacio on-line. Los detalles de uno mismo aumentan a medida que uno navega por internet y se van vinculando datos que son intrínsecos a uno mismo y aunque se identifiquen como datos no personales lo van a ser. De esta forma, surge el consabido temor en el que las técnicas de vinculación de datos, anexo a la identidad y/o a la identificación de una persona, alimentan los temores de que se explote la identidad de alguien. En este sentido, podría decirse que la propiedad de dichos datos implicaría conceptualmente la propiedad de las identidades de las personas, con independencia de que los datos sean personales o no personales. Por ello, debemos tener presente que las personas dependen del uso de sus datos[105]. Por ejemplo, pensemos que el ADN de una persona puede ser lo que los datos son en internet de un individuo cualquiera (que son datos personales como ha reconocido el TEDH).

---

[105] PRINS, J.E.J., "The propertization of personal data and identities", *E.J.C.L.*, núm.8, 2004, pp. 53-65.

En este contexto, queremos hacer ver que los desarrollos normativos actuales, en conexión con las nuevas tecnologías, como la inteligencia artificial, han desarrollado la protección de datos personales, comenzando con el derecho fundamental al respeto de la vida privada o sobre el derecho fundamental a la protección de datos personales. Sin embargo, no se pensó en la propiedad de los datos, y aún menos por supuesto en la propiedad de los datos personales, en tanto en cuanto no se presenta una línea divisible de lo que son los datos personales y no personales es un objetivo móvil y los datos que ahora se consideran datos no personales pueden convertirse en datos personales (gracias a los avances analíticos y tecnológicos).

En cualquier caso, lo que parece evidente es que resulta necesario explorar los límites conceptuales de la propiedad de datos personales para proceder a los debates sobre la propiedad de datos no personales. Teniendo presente que los datos, sean personales o no, se reconocen como activos económicos clave, y evitar preguntas sobre su propiedad es, por tanto, retrasar la protección de los usuarios.

El motivo es que, si se hiciera, para el futuro un marco normativo con un enfoque más realista y efectivo hacia la protección efectiva de los intereses de los interesados sería un empoderamiento activo de individuos en su gestión de datos personales. Un esfuerzo que puede aumentar la conciencia y el control sobre su propia información personal podría hacer que los consumidores / usuarios sean conscientes del valor monetario de sus datos personales. En otras palabras, si a las personas se les muestra el "precio" de sus datos personales, pueden adquirir una mayor conciencia sobre su poder en el mercado digital y, por lo tanto, estar efectivamente capacitados para proteger la privacidad de su información.

De esta forma, puede verse como el RGPD define los datos personales a la inversa, puesto que los datos son la fuente de información[106]. De esta forma, el choque entre la privacidad y la propiedad defendida parece un problema en que no se sabe bien cuál debe ser el primero en solucionarse; pues, si hablamos de que lo importante es la información, todo nos va a llevar a priorizar la personal, pero si nos centramos en la propiedad todo conduce a los datos, en su conjunto y debe ser objeto de análisis detallado, puesto que la información no puede ser objeto de propiedad.

El motivo está en que el debate europeo se centró sobre la protección de la privacidad; es decir, desde una perspectiva de los derechos humanos, no desde

---

106 JANEČEK, V., "Ownership of personal data in the Internet of Things", *Computer Law & Security Review*, núm. 34, 2018, pp. 1039-1052.

una perspectiva comercial, que podría conllevar el concepto de propiedad[107]. Ahora bien, este argumento también podría funcionar al revés, en un sentido puro, la idea de los derechos humanos tiene que ver con el empoderamiento y, por ello, podría argumentarse que negarle a cualquier individuo un derecho de propiedad de sus datos y así su privacidad viola sus derechos fundamentales.

En cualquier caso, va a resultar esencial, para determinar la propiedad de los datos conocer: quién recopila la información, quién la analiza, quién la difunde y a quién, la naturaleza de la información, las relaciones entre las distintas partes, e incluso mayores circunstancias institucionales y sociales.

Lo anterior, nos lleva al estudio del objeto de la sucesión digital. Concretamente, por un lado, se pretende distinguir entre distinguir entre la identidad digital (el sujeto)[108] y el patrimonio digital (el objeto), surgiendo aquí la necesidad de realizar una diferenciación, que en nuestra opinión, se antoja fundamen-

---

107 FOSCH VILLARONGA, E.; KIESEBERG, P.; Li, T., "Humans forget, machines remember: Artificial intelligence and the Right to Be Forgotten", *Computer Law & Security Review,* vol. 34, núm. 2, 2018, pp. 304–313.

108 MADRID PARRA, A., "La identificación electrónica", *Revista de la Contratación Electrónica,* núm. 15, 2001, pp. 5–61.

tal entre: los datos personales que te identifican o te hacen identificable y la posible mercantilización de los datos (que podrían ser datos no personales), puesto que a menudo se habla de "contenidos digitales" ("los datos producidos y suministrados en formato digital", según el artículo 2,1 de la Directiva 2019/770, de 20 de mayo de 2019, relativa a determinados aspectos de los contratos de suministro de contenidos y servicios digitales[109]), en términos generales, pero realmente puede que estemos hablando de nuestros datos. Por este motivo, es posible detectar:

a) Una vertiente personal: datos personales, intimidad, etc. Que en suma van a constituir la identidad digital de una persona.

b) Una vertiente patrimonial: activos digitales, que pueden tener un alto valor de mercado, por ejemplo, los datos no personales. En este apartado también podría incluirse, en algún caso, lo anterior siempre que los datos de los usuarios sean adecuados, pertinentes y limitados a lo necesario en relación con los fines para los que son tratados (artículo 5,1, c RGPD).

Dicho de otro modo, hablamos de: identidad digital (el sujeto, en tanto que los datos personales te

---

[109] DOUE de 22 de mayo de 2019 (L 136/1).

identifican o te hacen identificable) y lo que podría considerarse como patrimonio digital (el objeto, la posible mercantilización de los datos)[110], puesto que a menudo se habla de "contenidos digitales", en términos generales, cuando realmente puede que estemos hablando de nuestros datos. Motivo por el que es posible detectar una vertiente personal (datos personales, intimidad e identidad digital) y una vertiente patrimonial (todo tipo de "activos digitales" pueda tener un alto valor de mercado, en el que podrían incluirse en algún caso lo anterior y, además, los datos no personales. Todos ellos como activos).

En definitiva, podríamos hablar de un entorno intrínsicamente personal, es decir datos que son y pertenecen únicamente a la esfera privada de la persona, y un entorno que no es intrínsicamente personal[111]. Los primeros son los que estaría o serían objeto de

---

110 CÁMARA LAPUENTE, S., *La sucesión mortis causa en el patrimonio digital: una aproximación, conferencia dictada en el colegio notarial de Madrid*, salón académico, el 24 de enero de 2019, puede consultarse en http://www.elnotario.es/index.php/academia-matritense-del-notariado/9279-la-sucesion-mortis-causa-en-el-patrimonio-digital-una-aproximacion (Última visita: 30 de junio de 2025).

111 JANEČEK, V., "Ownership of personal data in the Internet of Things", *Computer Law & Security Review*, núm. 34, 2018, pp. 1039-1052.

protección por la propia normativa de protección de datos y los segundo son los que serían objetos del derecho a la propiedad de los datos.

En relación con la propiedad de los datos deben observarse dos perspectivas bajo las cuales se puede analizar la propiedad, y mezclarlas puede generar confusión. Por un lado, encontramos la propiedad "de" la nube, compuesta de un hardware y un software[112], que constituyen los activos comerciales del proveedor del servicio; por otro lado, la propiedad "en" la nube, ante la necesidad de garantizar la protección de los datos de los usuarios. En este contexto, surgen cuestiones de propiedad intelectual planteadas a raíz de modificaciones de datos de los clientes y derechos de propiedad sobre los datos procesados en la nube, por ejemplo, metadatos[113].

---

112 CUERVA DE CAÑAS, J. A., "La propiedad intelectual en el mundo digital", en *Sociedad Digital y Derecho* (Tomás de la Quadra-Salcedo y Fernández del Castillo (Dir.), José Luis Piñar Mañas (aut.), Ministerio de Industria, Comercio y Turismo, 2018, pp. 719-740.

113 PABÓN CADAVID, J., "Protección legal a los metadatos y la gestión digital de los derechos de autor", *Ius et Praxis*, Vol. 26, núm. 1, 2020, pp. 57-76; y DE MIGUEL ASENSIO, P. A., "Mercado único digital y propiedad intelectual: las Directivas 2019/789 y 2019/790", *La Ley Unión Europea*, número 71, 2019.

De esta forma, como decimos, la propiedad "de" la nube se estructura básicamente en dos componentes: hardware y software, los cuales constituyen los activos comerciales del proveedor del servicio. El primero consiste en un conjunto de bienes materiales, sujetos a las reglas de propiedad comunes, y cuya circulación depende de las leyes estatales. La del software es una situación más complicada, debido a que está sujeto al complejo marco de las normas de propiedad intelectual. Por otro lado, la propiedad "en" la nube, que consiste en la necesidad definida, a nivel global, de garantizar que los usuarios retengan el control sobre sus propios datos. Estos datos, por ejemplo, pueden ser escritos u otras obras de arte (incluidas fotografías que no pueden considerarse datos personales), notas, documentos utilizados para nuestro trabajo, documentos privados, copias de seguridad, materiales electrónicos comprados, como libros, música o películas, software, etc.[114].

---

[114] CALVO CARAVACA, A-L.; CARRASCOSA GONZÁLEZ, J., *Derecho Internacional Privado*, vol. II, 18ª Ed., Comares, Granada, 2018, p. 1363.

b. La mercantilización de los datos

Parece esencial, en cualquier contexto, en el que hablamos de la propiedad de los datos conocer: quién recopila la información, quién la analiza, quién la difunde y a quién, la naturaleza de la información, las relaciones entre las distintas partes, e incluso mayores circunstancias institucionales y sociales. Pensemos en los servicios en línea "gratis", por ejemplo, los servicios de Wifi gratuitos en espacios públicos, por ejemplo, en aeropuertos, en hoteles, estaciones de tren, etc. Que obligan a los usuarios a aceptar cookies y rastreadores y a dar su dirección de correo electrónico si quieren navegar por internet; es decir, si desean tener un servicio gratuito de Internet, deben revelar al proveedor determinados datos, relacionados con la autenticación de la identidad, como los sitios web visitados, datos de ubicación, etc. y, por lo tanto, crean un perfil personal. Otro ejemplo, podemos encontrarlo para las redes sociales, que en el fondo son servicios de computación en nube, que crean perfiles a través de sistemas de inteligencia artificial, al crear un perfil social y autorizar el acceso de Facebook a sus datos de perfil.

Estos servicios gratuitos pagados con datos, que deberán ser adecuados, pertinentes y limitados a lo necesario en relación con los fines para los que son tratados ("minimización de datos) (artículo 5,1,c

RGPD), van en contra de la posibilidad de establecer un derecho a la propiedad de los datos, puesto que en un sistema normativo como el nuestro, en el que todo se ha centrado en la información, parece que la discusión sobre mecanismos adecuados para la protección de datos personales se traslada a los modelos estadísticos, perfiles y algoritmos que se utilizan para generar conocimiento sobre nuestro comportamiento individual, social.

De esta forma, parece que la mercantilización de nuestras identidades y comportamientos se han centrado no en la necesidad de establecer un debate sobre los derechos de propiedad con respecto a los datos personales, sino más bien en un debate sobre la necesidad de proporcionar instrumentos jurídicos necesarios proteger y controlar la forma en que se procesan nuestras identidades.

En este aspecto conviene recordar la Sentencia del Tribunal Federal de Alemania que declaró transmisible la posición contractual de la fallecida y consideró que las condiciones generales que excluían esa relación de la herencia eran abusivas por no superar el control de contenido del § 307.1 y 2 BGB[115], que vienen a indicar

---

115 El precepto § 307 Inhaltskontrolle indica que: "(1) Bestimmungen in Allgemeinen Geschäftsbedingungen sind unwirksam, wenn sie den Vertragspartner des Verwenders

que los términos y condiciones generales son ineficaces si perjudican injustificadamente al socio contractual del usuario en contra de los requisitos de buena fe. Por ello, condenó a la plataforma digital indicando que el contenido que en ella se alojaba formaba parte de la herencia de su titular y, por tanto, en transmisible a los herederos.

Por tanto, no sería descabellado plantear la monetización de los datos personales como una realidad en casi todos los campos del mercado digital. La Comisión Europea ha destacado que el mercado de los datos de

---

entgegen den Geboten von Treu und Glauben unangemessen benachteiligen. Eine unangemessene Benachteiligung kann sich auch daraus ergeben, dass die Bestimmung nicht klar und verständlich ist. (2) Eine unangemessene Benachteiligung ist im Zweifel anzunehmen, wenn eine Bestimmung 1. mit wesentlichen Grundgedanken der gesetzlichen Regelung, von der abgewichen wird, nicht zu vereinbaren ist oder; 2. wesentliche Rechte oder Pflichten, die sich aus der Natur des Vertrags ergeben, so einschränkt, dass die Erreichung des Vertragszwecks gefährdet ist. (3) Die Absätze 1 und 2 sowie die §§ 308 und 309 gelten nur für Bestimmungen in Allgemeinen Geschäftsbedingungen, durch die von Rechtsvorschriften abweichende oder diese ergänzende Regelungen vereinbart werden. Andere Bestimmungen können nach Absatz 1 Satz 2 in Verbindung mit Absatz 1 Satz 1 unwirksam sein.

los consumidores está creciendo rápidamente y los modelos de negocio basados en la monetización de los datos se vuelven predominantes[116]. En este sentido, se puede decir que la información general sobre una persona tiene valor económico desconocido y no expresado en los contratos tales como la edad, el sexo y la ubicación que valen, según la calculadora creada por Financial Times, apenas 0,05 centavos. Las personas que están comprando un automóvil, un producto financiero o unas vacaciones son más valiosas para las empresas que desean vender esos productos. Por ejemplo, los datos personales de los compradores de automóviles valen alrededor de 0,21 centavos por persona[117]. Los datos personales que contienen condiciones de salud específicas o información necesaria que mezclada tienen un valor

---

116 Véase la identificación monetaria que se hace de los datos en la Propuesta de Directiva relativa a determinados aspectos de los contratos de suministro de contenidos digitales, COM (2015) 634 final 2015/0287 (COD), 9 de diciembre de 2015, que desaparece de la Directiva relativa a determinados aspectos de los contratos de suministro de contenidos y servicios digitales.

117 STEEL, E.; LOCKE, C.; CADMAN, E., "How much is your personal data worth?", *Financial Times,* 2017. Puede consultarse en https://ig.ft.com/how-much-is-your-personal-data-worth/?ft_site=falcon#axzz4dMtRPoZd (fecha de consulta 15 de junio de 2025).

indudable y, además, en principio, los datos se pueden vender y revender muchas veces. A lo anterior, hay que destacar una encuesta de McAfee que estableció que el promedio de valor da los datos personales que, conformarían activos digitales, valen alrededor de $ 55,000.12[118].

Hay investigaciones disponibles sobre la estimación del valor de los datos personales. Una de ellas es de la Organización para la Cooperación y el Desarrollo Económicos sobre metodologías para medir el valor monetario de los datos personales. La OCDE distingue los métodos que se basan en la valoración de mercado y los métodos que se basan en la valoración individual. Los métodos de valoración de mercado se centran en: a) resultados financieros para registros de datos; b) precios de mercado para datos; c) costo de una violación de datos; d) precios de datos en mercados ilegales; e) encuestas y experimentos

---

118 McAfee encuestó a 3.000 personas en 10 países, preguntando sobre el valor financiero en relación con el valor de los activos digitales, como archivos de música y álbumes de fotos en línea, etc. El promedio de EE. UU. fue de $ 55,000 (K. Steinmetz, "Your Digital Legacy: States Grapple with Protecting Our Data After We Die", *TIME*, noviembre, 2012). Puede consultarse en https://techland.time.com/2012/11/29/digital-legacy-law/ (Última visita: 1 de junio de 2025).

económicos; y f) datos sobre la disposición de los usuarios a pagar para proteger sus datos[119].

c. Breve estudio de derecho comparado de los datos como bien económico básico

Dentro de los contratos automatizados pueden encontrarse los contratos de suministros de datos o procesamiento de datos, porque sin los datos no se puede hacer la programación de la automatización del propio contrato[120]. Es más, puede afirmarse que algunas plataformas en línea establecen un mercado de datos o son operadas por intermediarios de datos y, con ello, puede decirse que el contrato entre el operador de la plataforma de datos y el usuario de la plataforma puede calificarse generalmente como un contrato de

---

119 OCDE, "Exploring the Economics of Personal Data: A Survey of Methodologies for Measuring Monetary Value", *OECD Digital Economy Papers,* No. 220. Puede consultarse en https://www.oecd-ilibrary.org/science-and-technology/exploring-the-economics-of-personal-data_5k486qtxldmq-en (Fecha de consulta 15 de junio de 2025).

120 FERRO, E., "Digital assets rights management through smart legal contracts and smart contracts", *Blockchain: Research and Applications,* junio, 2023.

procesamiento de datos[121]. Por supuesto, debe tenerse en cuenta que no hablamos de datos personales, sino de su vertiente patrimonial, datos no personales con un determinado valor económico, tal y como se ha defendido en otros estudios[122].

Puede apreciar como el auge de la digitalización está en la creciente internacionalización porque las personas descritas anteriormente, y por tanto los datos también, difícilmente van a estar en un mismo estado y, en algunos casos, nos encontramos además con sistemas automatizados. En este contexto, desde el Grupo de Trabajo IV de UNCITRAL se ha referido a que las cuestiones relacionadas con los datos "no constituyen un contrato de compraventa y que los datos pueden describirse como mercaderías"[123]. Ahora bien, si bien

---

121 DIXIT, A., "Towards user-centered and legally relevant smart-contract development: A systematic literature review", *Journal of Industrial Information Integration*, Vol. 26, marzo, 2022; PINHO, D., "What about the usability in low-code platforms? A systematic literature review", *Journal of Computer Languages*, Vol. 74, enero 2023.

122 MERCHAN MURILLO, A., "Sucesión digital internacional y el Reglamento sucesorio europeo 650/2012", *Anuario Español de Derecho Internacional Privado*, ISSN 1578-3138, Nº. 21, 2020, págs. 327-357.

123 UNCITRAL, Cuestiones jurídicas relacionadas con la economía digital: propuesta de labor futura en el ámbito de las operaciones de datos, Nueva York, 27 de junio a 15 de julio de 2022.

desde UNCITRAL se habla de datos como información, en nuestra opinión no es así.

Para asentarnos defender nuestra idea debemos asentarnos en el derecho de propiedad de los datos, donde cabría preguntarse, ¿qué tengo para usted? ¿un dato o una información? Los datos y la información son dos conceptos distintos, por qué sin información no hay dato y la información no se puede proteger. Por tanto, sí te doy un dato, lo puedes proteger en internet, sí te doy una información, no se me puede proteger, ya que la información fluye por internet, pero el dato si se piensa bien, permanece y da una verdadera tenencia y, con ello, un verdadero conocimiento sobre algo, entre otras cosas porque puede ser objeto de prueba[124].

Consideraciones al respecto se ha dado a nivel internacional, puede verse si observamos la Sentencia dictada en el caso *Your Response Ltd. v. Datateam Business Media Ltd.*[125], en la Decisiones del Tribunal de Apelaciones de Inglaterra y Gales (División Civil),

---

124 UNCTAD, Informe sobre la Economía Digital 2019: Creación y captura de valor: repercusiones para los países en desarrollo, Ginebra, 2019, p. 32.

125 [2014] WLR(D) 131, [2014] 4 All ER 928, [2014] EWCA Civ 281. Disponible en https://www.bailii.org/ew/cases/EWCA/Civ/2014/281.html (Última visita: 15 de junio de 2025).

en Inglaterra, donde se indica que una base de datos electrónica es un tipo de propiedad intangible. Una base de datos electrónica consta de información estructurada. Aunque la información situada dentro de ésta puede dar lugar a derechos de propiedad intelectual, la ley se ha mostrado renuente a tratar la información en sí misma como propiedad, en relación a los datos. Cuando se crea y registra la información, existen claras distinciones entre la información misma, el medio físico en el que se registra la información y los derechos a los que da lugar la información. Mientras que el medio físico se trata como propiedad, en relación la información electrónificada en sí nunca lo ha sido. En este contexto, el Tribunal admitió que había argumentos sólidos a favor del reconocimiento de los datos, como objetos incorporales, como una nueva categoría de bienes, aunque añadió que para introducir esa innovación jurídica sería necesario que interviniera el Parlamento.

En el Estado de Nueva York, el Tribunal de Apelación, se ha aceptado que la acción reivindicatoria se extienda a los objetos incorporales, por ejemplo, en la Sentencia dictada en el caso *Thyroff v. Nationwide Mutual Insurance Co.*[126], donde el Tribunal sostuvo

---

[126] Disponible en: https://www.law.cornell.edu/nyctap/I07_0029.htm (Última visita: 15 de junio de 2025).

que una acción reivindicatoria entablada al amparo de la legislación de dicho Estado abarcaba los documentos electrónicos almacenados en un ordenador. En este caso, los documentos comprendían información de clientes e información personal almacenada en el sistema informático de un mandante al que un mandatario podía acceder a través de un ordenador con licencia. No obstante, el tribunal advirtió que no había analizado si alguna de las otras e innumerables formas de información virtual, en relación a los datos, debían ser protegidas por las normas de la responsabilidad civil, ya sea contractual o extracontractual.

En la UE, parte de la doctrina jurídica ha entendido que el TJUE en su Sentencia de 3 de julio de 2012, en el asunto C-128/11, UsedSoft GmbH contra Oracle International Corp.[127], abrió la puerta a un debate sobre la propiedad de los objetos incorporales. En ese asunto, el tribunal sostuvo que la distribución comercial de programas informáticos mediante descarga de Internet podía constituir una venta a los efectos de la Directiva 2009/24/CE del Parlamento Europeo y del Consejo, de 23 de abril de 2009, sobre la protección jurídica de programas de ordenador. Para llegar a esa conclusión, el tribunal consideró que, según una

---

[127] STJUE de 3 de julio de 2012, UsedSoft GmbH vs Oracle International Corp., C-128/11, ECLI:EU:C:2012:407

definición comúnmente aceptada, la "venta" era un contrato mediante el que "una persona transfiere a otra, a cambio del pago de un precio, los derechos de propiedad de un bien corporal o incorporal que le pertenece" y, por consiguiente, consideró que una "operación comercial que da lugar al agotamiento del derecho de distribución relativo a una copia de un programa de ordenador implica que se ha transferido el derecho de propiedad de esa copia" (apartados 44 y 45 de la Sentencia).

En este contexto, defendiendo que los datos pueden ser objeto de propiedad[128] podría establecerse una definición de lo que es un dato, que en nuestra opinión, desde un punto de vista amplio, y, por tanto, como punto de partida útil, en términos de uso, hablamos de aquellos que incluyen la salida de dispositivos analógicos o datos en formato digital, manipulados, almacenados o comunicados por cualquier dispositivo hecho por el hombre, ordenador o sistema informático o transmitidos a través de un sistema de comunicación, que tiene el potencial suficiente para ser gestionado vía internet y por tanto crear un relato fáctico probable y fiable. La característica más destacada va a ser la interposición/mediación de la maquina

---

128 MASON, S., *Electronic Evidence*, University of London Press, Londres, 2021, p. 167.

y el sujeto con los datos, volviéndose inteligible mediante el uso de hardware y software, que crean un "el documento" que está en alguna "parte", en formato archivo, y que no existe independientemente del proceso que lo recrea cada vez que un usuario lo abre en su ordenador.

Dicho lo anterior, en internet tienen los datos su entorno y los diferentes estados de los datos y, en nuestra opinión, también podemos identificar los tipos o las clases de datos, partiendo de: a) datos en reposo o almacenamiento; b) Datos en movimiento o de comunicación o contenido; c) Datos en uso o procesados. Además, se pueden observar datos que son relevantes para el cifrado, que incluyen los metadatos, y que son cualquier dato informático relativo a una comunicación por medio de un sistema electrónico. Estos metadatos los podemos clasificar en tres tipos principales: a) descriptivos, que brindan información descriptiva sobre un documento en particular; b) estructurales, que describen la identificación de archivos o la información de codificación de archivos; c) administrativos, que brindan información para ayudar en la administración del documento o recurso[129].

---

129 SCHMIDT-KESSEN, M. J., "Machines that make and keep promises–Lessons for contract automation from algorithmic trading on financial markets", *Computer Law & Security Review*, Vol. 46, Septiembre 2022.

Lo descrito anteriormente, nos debe llevar a identificar a la diversa gama de actores, que están ubicados, por la propia naturaleza de internet, en diferentes Estados, en relación a los datos. Esos diferentes actores son, entre otros[130]:

a) El generador de los datos, una máquina o un sensor, así como los datos que se generan a partir de otros datos. Aquí podemos situar a los nodos
b) El programador de los datos y del sistema
c) El sujeto de los datos o persona a quien se refieren los datos.
d) El proveedor de los datos o persona que suministra los datos, incluida la persona que proporciona los datos que se ponen en común en una plataforma en línea.
e) El receptor de los datos o la persona que recibe los datos, incluida la persona que accede a los datos que se ponen en común en una plataforma en línea.
f) El procesador de los datos o la persona que procesa los datos, independientemente de que los genere o los reciba.

---

130 UNCITRAL, *Cuestiones jurídicas relacionadas con la economía digital: las operaciones de datos,* Nueva York, 6 a 17 de julio de 2020.

g) El operador de la plataforma de datos o persona que aloja los datos en una plataforma en línea.

Conforme a lo anterior, y desde nuestro punto de vista, parece obvio que los bienes digitales deberían gozar de la protección que confieren las normas del derecho de los bienes. Tienen todas las características de los bienes, y las dificultades conceptuales parecen derivarse principalmente de los orígenes históricos de nuestro derecho de los bienes corporales. Hay una diferencia real entre los bienes digitales y la información registrada en ellos. Esos registros permanentes de información, como datos, pueden ser objeto de posesión o disposición indebida cuando adoptan una forma física, y sería arbitrario basar las normas jurídicas en la forma del soporte, especialmente hoy en día, en que los soportes digitales han asumido un papel omnipresente en la vida moderna.

d. Propiedad a través de la gestión de los datos

Debe tenerse el TJUE ha creado una base legal y un incentivo para una nueva forma de gestión de datos[131], al discutir la posibilidad de cumplir con los

---

131 ZIGO, D., "CJEU: WM and Sovim SA v. Luxembourg Business Registers (Joined Cases C-37/20 and C-601/20):

requisitos de privacidad establecidos a través de la propiedad de los datos en relación con la Identidad Digital Europea.

Para promover la protección de datos, se debe restringir el acceso a los datos que pueden identificar a una persona, mientras que los datos, si son genéricos pueden ser accesibles públicamente. El acceso a la información identificable debe restringirse a aquellos que tengan un fin legítimo. Definir cuál es un objetivo legítimo es difícil. La Comisión temía con la aprobación de las Leyes de Protección de datos que el hecho de que los Estados miembros definieran el estándar del objetivo legítimo llevaría a un alto nivel de restricciones y normas arbitrarias.

Un sistema que proporciona privacidad es aquel que se basa en un enfoque ascendente de la propiedad de los datos. La propiedad de los datos se utiliza generalmente en el debate sobre la verificación en línea y la generación de datos. La idea es que el interesado puede decidir quién tiene acceso a la información. Por tanto, el interesado puede mantener su privacidad cuando así lo requiera. Esto reemplaza la carga de evaluar quién tiene un objetivo legítimo

---

Rethinking Transparency of Ultimate Beneficial Owners Registers", *Bratislava Law Review*, 2023, núm. 7, pp. 227–240.

desde el registro hasta el interesado, limitando así las cuestiones actuales en torno a la definición de un estándar general de lo que constituye un objetivo legítimo. Sin embargo, la propiedad de los datos constituye una nueva mirada sobre el establecimiento de los derechos y la soberanía de los datos.

La normativa utiliza la idea de un establecimiento descendente de la propiedad de los datos, donde los datos son de facto propiedad y controlados por el sujeto de los datos, en lugar del enfoque positivo descendente donde la propiedad de los datos está dividida por la ley. La idea surge como una solución a la enorme cantidad de datos recopilados en línea, siendo estos datos propiedad y recopilados por el consumidor en lugar de por algún gobierno o empresa. Este tipo de sistema requiere un nuevo enfoque legal. A pesar de que la Comisión adopta actualmente un enfoque ascendente en cuanto a la propiedad, podría ofrecer una solución en cuanto al estándar de objetivo legítimo. En la práctica, implicaría un almacenamiento de toda la información en el que los datos están encriptados y el sujeto de los datos puede decidir qué datos compartir y con quién. No obstante, puede describirse como una "Billetera de Datos" donde la información puede ser compartida a través de un contrato inteligente, basándose en un consentimiento específico del sujeto de los datos o en parámetros previamente definidos. El sistema utiliza una capa para facilitar el intercambio de datos. La capa de intercambio de datos puede evaluar las solicitudes y automatizar el proceso para datos abiertos. Este tipo de sistema podría cumplir con los requisitos de protección de datos y la necesidad de compartir información sobre beneficiarios. Cada transacción de contrato inteligente se registra en la cadena de bloques, proporcionando así un registro automático de qué datos se compartieron y con quién.

La billetera de datos contendría la información privada del beneficiario. Es importante bajo este sistema que la ley considere que el sujeto de los datos posee la información en lugar de la billetera. A diferencia de lo que considera la Comisión, una billetera de datos de este tipo podría mejorar el intercambio de datos. Algunos datos muy genéricos, como el país de residencia, pueden ser de acceso público. La información menos genérica solo puede obtenerse bajo solicitud. Las billeteras que soliciten información más detallada pueden ser aceptadas por los beneficiarios. Así, las empresas tienen la responsabilidad de decidir quién tiene un objetivo legítimo al adquirir la información. Para mejorar la eficiencia, se pueden establecer ciertos parámetros para el acceso automático. Por ejemplo, un propietario de negocio podría permitir el acceso a la información a un socio comercial regular, una institución financiera o cualquier persona con acciones en la empresa. Además, sería de interés del sujeto de los datos ser transparente. Si una empresa no proporciona información básica al público, podría ahuyentar a posibles inversores. Además, una empresa que niegue el acceso a la información a sus socios comerciales espantará a estos últimos. La billetera de datos retendría la información en lugar de duplicarla al receptor, permitiendo así la eliminación de información cuando sea necesario. El intercambio actual de información a través del registro implicaba que cada receptor pudiera reproducir los datos con quien quisiera. Esto, combinado con el acceso público, fue considerado un problema tanto por el Abogado General como por el Tribunal de Justicia de la Unión Europea. El eID actual de la UE permite algunas de estas opciones, como el intercambio de archivos y la identificación. Desafortunadamente, no hay opción para ver la información en lugar de compartirla. Además, una billetera de datos solo funciona cuando puede comunicarse con otras billeteras. Las evaluaciones actuales han indicado que los eID de varios Estados miembros no siempre pueden comunicarse entre sí. La interoperabilidad parece ser un factor importante que obstaculiza un eID de la UE exitoso. Si el eID se vuelve interoperable con varios sistemas, podría mejorar enormemente la seguridad para sus usuarios. En particular, si el eID se conecta a la red más amplia del Internet de las cosas (IoT).

IV. LA IDENTIDAD ELECTRÓNICA Y LOS TOKENS

Las tecnologías de registro distribuido (TRD) son las que permiten registrar, compartir y sincronizar transacciones y datos entre múltiples usuarios en múltiples ubicaciones, creando un entorno descentralizado. Dicha base de datos está replicada en los ordenadores de los usuarios y, a la vez, se actualiza mediante protocolos de consenso. Dentro de estas TRD es donde se puede encuadrar Blockchain que, aunque no es la única, es la que más protagonismo tiene en la actualidad.

Blockchain se ha convertido en la palabra de moda. Esta tecnología sigue atrayendo la atención de empresas, gobiernos, investigadores, etc. A veces, se lo conoce como la piedra angular de la confianza de la sociedad digital del futuro. La popularización de la tecnología Blockchain y los continuos intentos de desarrollarla, en diversas áreas, ha dado como resultado la aparición de las criptomonedas, los tokens, los contratos inteligentes, etc. En definitiva, se trata de cuestiones que vienen a plantearnos nuevos desafíos sustanciales a su regulación. Concretamente, los tokens merecen un análisis adicional para las disposiciones contractuales relacionadas con determinados tipos específicos de contratos, la protección del consumidor, las leyes sobre ciberseguridad, etc.; pues, la digitalización de los objetos de derechos existentes y la simplificación del proceso de contratación con los mismos tiene su manifestación en el propio token.

De esta forma, puede apreciarse como la figura del token[132] se antoja fundamental. Ahora bien, no existe en nuestro idioma una definición, por lo que su conceptualización se antoja compleja. No obstante, si acudimos al Oxford Dictionary el token aparece como una "una cosa que sirve como representación visible o tangible de un hecho, cualidad, sentimiento, etc."[133]. Asimismo, podemos encontrar una manifestación jurídica del término en la Consumer Credit Act 1974 que en su artículo 14[134] viene a determinar Credit-token agreements; es decir, algo parecido a un documento de acuerdo crediticio. Si se aprecia el contenido del artículo 14, pueden apreciarse distintos tipos de token que, en virtud de los principios de equivalencia funcional y preexistencia del derecho existente, pueden considerarse similares a los recogidos en el

---

132 PASTOR SEMPERE, Mª. C., "Criptomonedas y otras clases de Tokens: aspectos mercantiles" en *Blockchain: Aspectos tecnológicos, empresariales y legales* (coord. Ramón Vilarroig Moya, Mª del Carmen Pastor Sempere, Madrid, 2018, pp. 151-190.

133 Puede consultarse en: https://www.lexico.com/definition/token?locale=es (fecha de consulta 2 de septiembre de 2025).

134 Puede consultarse en: https://www.legislation.gov.uk/ukpga/1974/39/section/14 (fecha de consulta 6 de septiembre de 2024).

artículo 3 de la propuesta de Reglamento relativo a los mercados de criptoactivos y por el que se modifica la Directiva (UE) 2019/1937:

a) Asset-referenced token o ficha referenciada a activos.
b) Electronic money token o ficha de dinero electrónico.
c) Utility token o ficha de servicio.

A los anteriores debe añadirse otro tipo de token, que va a ser esencial: el token de e-Identidad. Este tipo de token ya existía, puesto que estos son dados por los proxys del proveedor de identidad a la hora de integrarlos dentro de sistemas de gestión de la identidad, por ejemplo, en el contexto de la aplicación del proyecto STORK y STORK 2.0[135], hay un servicio de proxy por Estado miembro que gestiona sus e-Identidad y el proveedor de servicios[136].

---

135 STORK y STORK 2 son proyectos financiados por la UE, que junto a epSOS, PEPPOL, y SPOCS, tienen como objetivo crear interoperabilidad. Concretamente, STORK y STORK 2 han producido una primera solución de interoperabilidad para los sistemas nacionales de eID mediante el desarrollo de un marco de identidad federada.

136 ALMILLO DOMINGO, I., SSI eIDAS Legal Report. How eIDAS can legally support digital identity and trustworthy DLT-based transactions in the Digital Single Market, Bruselas, abril, 2020, p. 16.

STORK 2.0 se enfocó en e-Learning estratégico y calificaciones académicas, banca electrónica, servicios públicos para negocios y áreas de e-Salud, demostrando servicios interoperables que la e-Identidad puede ofrecer en entornos de la vida real, validando especificaciones, estándares y bloques de construcción comunes, abordando de manera convincente los desafíos legales y cuestiones de gobernanza (transfronterizas, dominios de aplicación y diferentes sectores). Estas aplicaciones probaron la facilidad para la movilidad y la vida digital sin fronteras en la UE, mejorando el mercado único digital para los servicios públicos y comerciales en consonancia con la Directiva de servicios. Lo dicho anteriormente, está siendo objeto de desarrollo, dentro el Marco para una Identidad Digital Europea, que ha comenzado a producirse a través de la citada propuesta de modificación del Reglamento eIDAS, de 3 de junio de 2021, donde se recoge el uso de las TRD. De esta forma, se observa dentro de la propuesta como se amplía la lista actual de servicios de confianza eIDAS con tres nuevos servicios de confianza calificados: la prestación de servicios de archivo electrónico, libros de contabilidad electrónicos (electronic ledger) y la gestión de firma electrónica remota y dispositivos de creación de sellos[137].

---

137 COMISIÓN EUROPEA, *Propuesta de Reglamento del Parlamento Europeo y del Consejo por el que se modifica el Reglamento*

V. LA IDENTIDAD FUNDACIONAL Y LA IDENTIDAD FUNCIONAL

Habida cuenta de la aceleración en la digitalización, los Estados miembros han implantado o están desarrollando sistemas nacionales de identidad electrónica que incluyen carteras digitales y marcos de confianza nacionales destinados a la integración de atributos y credenciales[138]. En este contexto surge importancia de la identidad fundacional o primaria y la identidad funcional o secundaria[139].

Para entender la diferenciación pensemos que la concepción de la identidad, representada en un contexto, como podría ser el de un pueblo, nos hace identificable dentro de un conjunto de personas y mientras más viva allí más nos conoce la gente, ya sea por el mote o por las actividades que desarrollo en el pueblo. En contraste, la ley concibe habitualmente

---

(UE) n.º 910/2014 en lo que respecta al establecimiento de un Marco para una Identidad Digital Europea, Bruselas, 3 de julio de 2021.

138 REINIGER, R. T., "The proposed international e-identity assurance standard for electronic notarization", *Digital evidence and electronic signature law review*, 2008, núm. 5, pp. 78 – 80.

139 UNICTRAL, *Aspectos jurídicos relacionados con la gestión de la identidad y los servicios de confianza*, Nueva York, 2018, p. 5.

a los ciudadanos como poseedores de una sola identidad (el DNI). Sin embargo, el contexto en el que vivo, en la mayoría de los casos, me va a permitir que no sea necesario identificarme, por qué ya saben quién soy[140].

Lo anterior, nos lleva a encuadrarnos en el mundo digital, pensemos que la tecnología influye en cómo nos presentamos y cómo los demás nos identifican, lo cual nos lleva obligatoriamente a tratar la autenticación de la identidad, no sin antes tener en cuenta que tengo que entrar en Internet y visitar cualquier Web, de tal manera que mientras más páginas visito más datos de mi hay en la red y, al mismo tiempo, más registros. En este ejemplo, nos situamos dentro de la que hemos denominado función de identificación, donde aparecen la identidad fundacional y la funcional. Las fundacionales son disponibles universalmente y se usan para una variedad de propósitos y, por ende, a menudo las proporcionan los gobiernos para que los ciudadanos puedan probar su identidad. Las funcionales son las creadas con un propósito específico y, por tanto, tienden a ser proporcionadas por una de

---

140 SULLIVAN, C., "Digital identity – From emergent legal concept to new reality", *Computer Law & Security Review*, 2018, vol. 34, núm. 4, p. 723-731.

numerosas entidades diferentes[141]. La determinación la identidad fundacional puede plantear cuestiones complejas relativas a la atribución de condición. No obstante, las identidades funcionales son las que van a estar presentes en las operaciones comerciales pueden depender, en todo o en parte, de una determinación propiamente funcional de la identidad[142].

Podemos decir que las fundacionales suelen ser las proporcionadas por los gobiernos nacionales, interesados en proporcionar un medio para que sus ciudadanos prueben quiénes son, por ejemplo, a través de registros civiles, DNI, pasaportes o certificados de nacimiento; mientras que las funcionales son las que se vinculan al uso o a la propia transacción, de tal manera que las consecuencias jurídicas reales de la comprobación de la identidad estarían determinadas por las circunstancias objetivas y demás circunstancias pertinentes de la operación de que se tratase[143]; es decir, es la identidad que está vinculada a las operaciones. Las cuestiones relacionadas con

---

141 LYNCH, S., *Soluciones innovadoras de identidad digital móvil Inclusión financiera y Registro de Nacimientos*, GSMA, 2018, p. 3.

142 BANCO MUNDIAL, *ID4D Practitioner' Guide–World Bank Documents*, octubre, 2019, pp. 15 y 16.

143 UNCITRAL, *Cuestiones jurídicas relacionadas con la gestión de la identidad y los servicios de confianza*, Nueva York, 2018, p. 7.

la identidad fundacional son de gran importancia, ya que es era posible que la ley de un determinado Estado exija esta identidad para determinar la identidad fundacional.

Es posible que la identidad fundacional no se utilice comúnmente como tal en las operaciones comerciales, aunque los proveedores de identidad pueden utilizarla para establecer la identidad funcional, por ejemplo, en el artículo 2,1 de la Ley Modelo de Firma Electrónica se dice que se identifique al firmante o el 3,2 del Reglamento eIDAS exigen que se identifique a la persona. En algunos casos, la identificación fiable del firmante puede basarse en la utilización de una credencial de identidad y un proceso de autenticación que establece la identidad sobre la base de credenciales de identidad fundacional. Por lo tanto, el reconocimiento jurídico de la identidad básica a través de fronteras y entre sistemas de gestión de la identidad va a ser necesaria[144].

---

144 UNCITRAL, *Observaciones explicativas relativas al proyecto de disposiciones sobre el reconocimiento transfronterizo de sistemas de gestión de la identidad y servicios de confianza*, Nueva York, 2019, p. 5.

VI. LA GESTIÓN DE LA IDENTIDAD

Al referirnos tanto a la gestión de la identidad y a los sistemas de gestión de la identidad, a la que nos referiremos más adelante, nos situamos en lo que hemos denominado autenticación de la identidad. Por gestión de la identidad se entiende un conjunto de procesos que permiten gestionar la identificación, autenticación y autorización de personas físicas, personas jurídicas, dispositivos u otros sujetos en un contexto en línea[145].

Como ha reconocido la UE, es muy deseable alcanzar estándares comunes de seguridad, en la emisión de procedimientos, y que la aplicación, la inscripción y la emisión formen un solo proceso, y, además, todos deben ser tan seguros como sea posible. El procedimiento, por tanto, debe incluir personas, procesos y tecnología, proporcionales ya que los costos y recursos involucrados deben equilibrarse con el resultado, para poder conseguir un nivel óptimo de interoperabilidad.

Ante esta situación, observamos que el desafío, de base, es el establecimiento de un enfoque uniforme y confiable, para emisión y gestión de la identidad

---

[145] UNCITRAL, *Cuestiones jurídicas relacionadas con la gestión de la identidad y los servicios de confianza Términos y conceptos relativos a la gestión de la identidad y los servicios de confianza*, Nueva York, 2018, p. 6

electrónica de los individuos, credenciales y derechos de uso. El beneficio para un usuario final es importante: permitirle el acceso a numerosas aplicaciones y servicios proporcionado a través de dominios y organizaciones mediante el uso de una misma credencial. De esta manera, los usuarios y los proveedores de servicios pueden depender de una sola identidad, para administrar la identidad de credenciales y en línea de forma segura[146].

En este sentido, puede decirse que resulta esencial mejorar la seguridad de las infraestructuras subyacentes de gestión de identidad; pues, para que el comercio electrónico desarrolle todo su potencial, las personas y/o empresas necesitan una forma segura y efectiva de identificarse, cuando realizan cualquier comunicación electrónica. Para que esto sea una realidad, se necesita una gestión de la identidad electrónica interoperable[147].

---

146 DIAGO, M.ª., "La residencia digital como nuevo factor de vinculación en el Derecho Internacional Privado del Ciberespacio ¿posible conexión de futuro?", *Diario LA LEY*, núm. 8432, 2014, pp. 2-4.

147 COLLING, T., "Some thoughts on the underlying logic and process underpinning Electronic Identity (e-ID)", *Information Security Technical Report*, Vol. 13, núm. 2, 2008, pp. 61-70.

La gestión electrónica de identidades es la piedra angular de la implementación de toda la gama de servicios electrónicos, tanto para ciudadanos como para empresas. A medida que se realizan electrónicamente más transacciones gubernamentales, personales y comerciales, las partes deben asegurarse de que la identidad es de una persona o de una organización empresarial.

Pensemos, por ejemplo, la emisión de tarjetas de identificación inteligentes, que realiza el gobierno estonio ha aprobado a través de la "Isikut tõendavate dokumentide seadus" (Ley de documentos de identidad de 2014). Con ellas, los e-estonios[148] (que no deben tener la nacionalidad de este país de la Unión Europea ni siquiera la residencia física en él), accederán a multitud de servicios online, así como a la firma digital.

La gestión de la identidad electrónica es una cuestión fundamental, para la mayoría de las transacciones de comercio electrónico y otras actividades en línea. Tengamos en cuenta que, desde una perspectiva jurídica, la identidad de un individuo es la base sobre la que se construyen los derechos y obligaciones de

---

148 CUTHBERTSON, A., "Estonia First Country to Offer E-Residency Digital", *International Business Times,* 2014, pp. 21-40.

las personas; pues, en una relación entre dos o más sujetos, por ejemplo, en un contrato, o en cualquier transacción con efectos jurídicos, se requiere una identificación de las personas que participan en ella como paso previo a su celebración.

En el mundo real la identidad y la identificación de las personas son materias de derecho sustantivo y del derecho procesal. La identificación de las personas que intervienen en la transacción es un elemento esencial del acto jurídico que se va a realizar, ya que el error sobre la identidad de la persona puede acarrear la nulidad del acto, al constituir un vicio del consentimiento que invalida la relación jurídica. La identificación hace referencia tanto a los datos de identidad de una persona como al acto y procedimiento de comprobación y acreditación de la identidad. De esta forma, podemos decir que las Leyes son las que definen los instrumentos y procedimientos que serán considerados válidos para la identificación de una persona[149].

---

[149] CENTRO LATINOAMERICANO DE ADMINISTRACIÓN Y DESARROLLO (CLAD), "Marco para la identificación electrónica social iberoamericana", *Aprobado por la XIII Conferencia Iberoamericana de ministros y ministras de Administración Pública y Reforma del Estado*, Asunción, 30 junio – 1 julio, 2011, p. 12.

En el mundo en línea, pasa lo mismo, aunque las partes se encuentran ausentes. Así pues, los participantes en la transacción electrónica tienen que confiar en un proceso de identificación que se va a realizar de una persona con la expedición de la correspondiente credencial. Ante esta situación surge una necesidad: la gestión de la identidad electrónica que podemos definirla como la definición, designación y administración de atributos de identidad[150].

Por un lado, debemos tener en cuenta que la gestión de la identidad no es un concepto nuevo, a pesar de que el término parece ser de origen reciente. Todos los gobiernos y las entidades privadas han empleado desde hace tiempo tarjetas de identificación u otros documentos para identificar a las personas como medios para autenticar la identidad; por otro, no se refiere a un solo sistema específico, sino más bien a una categoría de soluciones interrelacionadas, utilizadas para administrar la autenticación de usuarios, derechos de acceso y restricciones, perfiles de cuenta, contraseñas y otros atributos.

---

150 GOVERNMENT UNIT, DG INFORMATION SOCIETY AND MEDIA, EUROPEAN COMMISSION, The Modinis IDM Study Team: Modinis Study on Identity Management in eGovernment: Common Terminological Framework for Interoperable Electronic Identity Management, Version 2.01, 23 de noviembre de 2005, p. 11.

La idea de la que partimos es que la gestión de la identidad electrónica que se aplica a las personas es una preocupación primordial para empresas, gobiernos e individuos de todo mundo. Todos tratan de establecer una colaboración que implique tanto a los proveedores de identidad y otros proveedores de servicios[151].

Se trata de buscar la verificación de la identidad de partes alejadas en la transacción que tratan, por ejemplo, de acceder a una base de datos en línea que contienen información confidencial, para realizar una transferencia en línea de fondos con cargo a una cuenta, o que han firmado un contrato electrónico, quien ha enviado un correo electrónico o quien ha autorizado a distancia el despacho de un producto o enviado un correo electrónico[152].

La gestión de la identidad puede realizarse de diferentes formas, constituyéndose diversos tipos de sistemas de gestión de la identidad, que lo trataremos adelante, que pueden ser, desde el uso del nombre de

---

151 DE MIGUEL ASENSIO, P. A., *Derecho Privado de Internet*, Ed. Aranzadi, 2023, pp.285-286.

152 UNCITRAL, *Panorama general de la gestión de la identidad digital: Documento de antecedentes presentado por el Identity Management Legal TaskForce de la American Bar Association*, Viena, 29 de octubre – 2 de noviembre, 2012, p. 6.

usuario y contraseña, que a veces podemos considerarlo engorroso por tener que rellenar formularios, cuando realmente lo que pretendemos es acceder rápidamente a la aplicación o a la realización de la transacción; hasta la gestión de identidades digitales, dando lugar al desarrollo de sistemas de gestión de identidades, que pueden permitir el paso de las identidades electrónicas a través de fronteras mediante colaboración de entidades. En esta colaboración, dentro y a través de los sistemas de información, de múltiples organizaciones, se vienen a plantear cuestiones tecnológicas, organizativas y jurídicas[153]:

a) En términos de tecnología, los colaboradores tienen que decidir sobre una arquitectura que soporta la comunicación de la identificación datos.

b) A nivel organizativo, los colaboradores necesitan integrar algunos de sus procesos de negocio con el fin de lograr la interoperabilidad.

c) Desde un punto de vista jurídico, la cooperación sobre la gestión de la identidad es un reto en términos del marco necesario contractual,

---

153 TOBIAS, M; THOMAS, O., "Risk, responsibility and compliance in circles of Trust", *Computer Law & Security Review*, 2007, vol. 23, núm. 3, pp. 342 – 351.

la asignación de responsabilidades y, por último, pero no menos importante, la protección de la información personal.

En este contexto, apreciamos que, los participantes en una transacción de bajo riesgo realizada en línea tienden a confiar en que están tratando con una persona o entidad concreta, a medida que aumenta la confidencialidad o que incrementa el valor de la transacción, también crece la importancia de garantizar la disponibilidad y fiabilidad de la información exacta, acerca de la identidad de la parte que se encuentra a distancia, a fin de tomar una decisión, que se va a fundar en la confianza.

La situación que se plantea es la de crear un sistema de credenciales de identidad en línea, seguro, fiable y fehaciente y que pueda utilizar a distancia, en el marco de sistemas y entidades diferentes.

Observemos que la gestión de identidades, esencialmente, podría concretarse en dos procesos fundamentales[154]:

a) Identificación: el proceso necesario para la verificación de ciertos atributos de identidad de

---

[154] PRICE, G, "The benefits and drawbacks of using electronic identities", *Information Security Technical Report,* mayo, 2008, vol. 13, núm.2, pp. 95 – 103.

una persona y la emisión de una credencial de identidad, ligadas a esa persona para reflejar esos atributos.

b) Autenticación: los procesos necesarios para verificar a la persona que representa la credencial y, además, dice ser la persona descrita por esos atributos previamente verificados, de hecho, respecto a esa persona.

El proceso de identificación está diseñado para responder a la pregunta "¿quién es usted?", tratando de asociar uno o más atributos, por ejemplo, un nombre, una dirección, la altura, la fecha de nacimiento, el número de la seguridad social, el empleador, un título, una matrícula, un número de socio, el cargo que ocupa en la empresa, etc. con una persona con el fin de identificar y definir a ese individuo, con un nivel suficiente de seguridad para la finalidad prevista[155].

Es decir, se trata de obtener una prueba de identidad, o, mejor dicho, de probar la validez de una identidad, mediante el examen de los datos electrónicos generados, que a su vez son una colección de datos

---

155 SMEDINGHOFF, T. J., "Solving the legal challenges of trustworthy online identity", *Computer Law & Security Review*, Vol. 28, 2012, pp. 532 – 541.

personales de un individuo que pretende ser identificado. Este proceso de identificación se lleva a cabo mediante un proceso de:

a) Validez, a través de las pruebas que corroboran de manera suficiente la identidad de la persona; y,

b) Verificación, el usuario que solicita usar la identidad tiene derecho a asociarse con esa identidad.

Al final del proceso de identificación, la información acerca de la identidad del sujeto se representa típicamente por los datos proporcionados al proveedor de identidad[156], posteriormente éste los proporcionará a terceros, refiriéndose a estos como una identidad de credenciales[157].

---

156 MADRID PARRA., "La identificación en el comercio electrónico", *Revista de la contratación electrónica*, 15, 2001, pp. 3-60

157 De esta forma, en todos los contratos de datos de prestación de servicios de certificación, tanto de persona física como de persona jurídica, podemos observar que la persona física solicitante del certificado declara que todos los datos, anteriores referentes a su identidad, son ciertos y veraces y en los Registros públicos competentes, que, a la fecha de solicitud, tienen las facultades idóneas y suficientes, según se acredita, para solicitar un certificado electrónico de firma.

Cuando hablamos de credencial nos referimos a los datos verificados relativos a uno o más atributos de identidad de una persona específica. En el mundo físico credenciales de identidad incluyen los Documentos Nacionales de Identidad, las licencias de conducir, pasaportes, tarjetas de identificación, etc. En el mundo virtual la credencial de identidad, como hemos mencionado antes, podría ser desde un nombre de usuario o un certificado criptográfico digital que puede ser almacenado en un ordenador, en un teléfono móvil, en una tarjeta inteligente, tarjeta de cajero automático, una unidad flash o un dispositivo similar, etc.

Sí una persona presenta una credencial de identidad, por ejemplo, mediante la presentación de un pasaporte en un aeropuerto o introduciendo un nombre de usuario en una red corporativa, y trata de ejercer un derecho o un privilegio concedido a la persona descrita por ese credencial, por ejemplo, a bordo de un avión o para acceder a la red corporativa o una base de datos sensibles, se hace necesario un proceso de autenticación, que realizará el usuario que confía, para determinar si la persona que presenta la credencial es la persona descrita por esta credencial[158].

---

[158] UNCITRAL, *Panorama general de la gestión de la identidad digital: Documento de antecedentes presentado por el Identity Management Legal TaskForce de la American Bar Association*, Viena, 29 de octubre – 2 de noviembre, 2012, p. 7.

En otras palabras, cuando alguien dice ser la persona identificada por una credencial de identidad, se pasa a un proceso de autenticación[159], que está diseñado para responder a la pregunta "de acuerdo, ¿cómo se puede demostrar?". Es un evento de transacciones específicas, que implica la asociación de una persona con una credencial de identidad, para verificar que la persona, que trata de participar en la transacción, es realmente la que se ha identificado y autorizado para la transacción previamente.

Ante esto, no tardamos en darnos cuenta del problema: la gestión de la identidad que se ha venido usando, en entornos fuera de línea, han sido: los pasaportes, carnés de conducir, los documentos nacionales de identificación, etc.; es decir, documentos que componen sistemas de gestión de identidades de carácter nacional. Se tratan de credenciales expedidos por una autoridad nacional pública cuya identidad ha sido confirmada de modo que posteriormente puede ser demostrada dentro de un sistema propio, o lo que es lo mismo, dentro del propio sistema nacional.

No obstante, si observamos la identidad gestionada por un Estado dentro de su propio sistema nacional,

---

159 MCKENNA, P., "The probative value of digital certificates: information assurance is critical to e-identity assurance", *Computer Law & Security Review*, 2004, num. 1, pp. 55 – 60.

casi en exclusividad, podemos examinar tres niveles de leyes o normas que parecen regir la gestión de identidades. La comprensión de estos tres niveles proporciona una mejor base para el análisis de las cuestiones jurídicas y la consideración de las posibles soluciones. Los tres niveles se pueden resumir de la siguiente manera[160]:

a) Nivel 1: Se trata de leyes y reglamentos de derecho público, adoptadas por los gobiernos, que se promulgan y aplican a nivel nacional. Estas leyes no son problemas específicos de identidad. No obstante, las leyes se aplican a la identidad nacional y su aplicación transfronteriza plantea incertidumbres siendo uno de los problemas esenciales a los que se enfrentan los sistemas de identidad.

b) Nivel 2: la ley de identidad específica o marcos voluntarios, que puede incluir normas de derecho público o de derecho privado según lo acordado por las partes en el contrato. Actualmente se están elaborando las normas que se rigen en este nivel, por ejemplo, en la UE, donde puede incluirse el Reglamento identificación electrónica.

---

160 ABA IDENTITY MANAGEMENT LEGAL TASK FORCE, M*eeting Report*, 10 – 11 de diciembre, 2012.

c) Nivel 3: normas de funcionamiento del sistema de la identidad individual Este se sitúa en el ámbito del derecho privado, por lo general se trata de normas basadas en contratos desarrollados por y diseñados para un sistema de identidad específico con el fin de regular el funcionamiento de dicho sistema, un ejemplo es el empleado por entidades como VISA.

Hasta hoy, las tecnologías de gestión de la identidad y el acceso se han centrado principalmente en la autenticación de los usuarios finales para el acceso federado a aplicaciones y servicios (en el modelo de acceso federado existen varios proveedores de servicios de identidad en los que los usuarios pueden confiar y que pueden gestionar la información parcial de la identidad de los usuarios en caso necesario. La información de la identidad del usuario en cada proveedor de servicios de identidad puede compartirse). Por lo tanto, el requisito de seguridad se limita al perímetro de sus dominios de aplicación; es decir, puede decirse que cuando una persona obtiene la identidad fundacional y la funcional, es como si en un ámbito electrónico se inscribiera para utilizar dichos servicios, creando una identidad electrónica, que puede vincularse a diversas cuentas, correspondientes a cada aplicación o plataforma. Ante esta inscripción, que realiza ante un prestador de servicios de confianza, que probablemente será público, si partimos de lo ya comentado con relación a la identidad fundacional, va a suponer el establecimiento de una relación de confianza entre las partes, actuales y futuras, ya que la creación de una identidad electrónica requiere conjugar estas relaciones bilaterales en un marco amplio que permita su gestión conjunta, que es donde se encuadra la gestión de la identidad[161], que va ser la piedra angular del desarrollo de toda la gama de servicios electrónicos, tanto para Estados, ciudadanos como para empresas. Como ejemplo, cabe destacar la emisión de tarjetas de e-Identificación en Estonia, a partir de la aprobación de la "Isikut tõendavate dokumentide seadus" (Ley de documentos de identidad de 2014). Con ellas, los e-estonios[162], que no tiene por qué tener ni nacionalidad estonia, ni residencia física en el país, acceden a multitud de servicios online, así como a la firma digital.

Como puede observarse, la gestión de la identidad electrónica es una cuestión fundamental, para la mayoría de las transacciones de comercio electrónico y otras

---

161 UNCITRAL, *Fomento de la confianza en el comercio electrónico: cuestiones jurídicas de la utilización internacional de métodos de autenticación y firma electrónicas,* Nueva York, 2007, p 32.

162 CUTHBERTSON, A., "Estonia First Country to Offer E-Residency Digital", *International Business Times,* 2014, pp. 21-40.

actividades en línea. Tengamos en cuenta que, desde una perspectiva jurídica, la identidad de un individuo es la base sobre la que se construyen los derechos y obligaciones de las personas; pues, en una relación entre dos o más sujetos, por ejemplo, en un contrato, o en cualquier transacción con efectos jurídicos, se requiere una identificación de las personas que participan en ella como paso previo a su celebración. La identificación de las personas que intervienen en la transacción es un elemento esencial del acto jurídico, ya que el error sobre la identidad de la persona puede acarrear la nulidad del acto y, además, hace referencia tanto a los datos de identidad de una persona, como al acto y procedimiento de comprobación y acreditación de la identidad. De esta forma, podemos decir que las leyes, normalmente de derecho sustantivo y procesal, son las que definen los instrumentos y procedimientos que serán considerados válidos para la identificación de una persona[163].

Al estar definidas por las leyes nos vamos a encontrar problemas específicos, teniendo en cuenta la

---

[163] CENTRO LATINOAMERICANO DE ADMINISTRACIÓN Y DESARROLLO (CLAD), "Marco para la identificación electrónica social iberoamericana", *Aprobado por la XIII Conferencia Iberoamericana de ministros y ministras de Administración Pública y Reforma del Estado,* Asunción, 30 junio – 1 julio, 2011, p. 12.

aplicación de los principios: a) de neutralidad tecnológica, ya que las partes deberá saber cuáles son los requisitos mínimos que deben reunir los sistemas, haciendo referencia a las propiedades de los sistemas y no a determinadas tecnologías, o si se opta por un criterio basado en las operaciones, puede ser necesario proporcionar orientación sobre los requisitos mínimos aplicables a las operaciones de identidad; b) autonomía de las partes, si bien ese principio puede aplicarse plenamente a los servicios comerciales, las partes está sujeta a las limitaciones que emanen de normas jurídicas imperativas (por ejemplo, protección de datos) y, además, su aplicación puede estar restringida, por razones de política, en lo que respecta al acceso a servicios prestados por organismos públicos; y c) proporcionalidad entre los medios de identificación electrónica y la función para la que se utilizan, ya que la libertad de elección del tipo de servicio también está estrechamente relacionada con el principio de neutralidad tecnológica[164].

164 UNCITRAL, *Informe del Grupo de Trabajo IV (Comercio Electrónico) sobre la labor realizada en su 57° período de sesiones*, Viena, 2017, p. 8.

VII. SISTEMAS DE GESTIÓN DE LA IDENTIDAD

La gestión de la identidad puede realizarse de diferentes formas, constituyéndose diversos tipos de sistemas de gestión de la identidad; es decir, en un entorno en línea utilizado para la gestión de la identidad que se rige por un conjunto de reglas de funcionamiento y en el que puede haber confianza recíproca entre individuos, organizaciones, servicios y dispositivos dado que fuentes autorizadas han establecido y autenticado sus identidades respectivas[165]. El sistema de gestión de la identidad se utiliza para resolver cuestiones de seguridad y confidencialidad de la información transmitida por Internet, existiendo con ello distintos tipos. Los más relevantes son: los centrados en la aplicación y los centrados en el usuario. Los que se centran en la aplicación son los aquellos suyos servicios y políticas en materia de identidad han sido concebidos para satisfacer los requisitos de los proveedores de servicios de identidad y optimizados para los requisitos de las aplicaciones. Un proveedor de servicios presta un servicio de identidad al usuario y el intercambio de identidad suele tener lugar entre esas dos entidades.

---

165 UNCITRAL, *Cuestiones jurídicas relacionadas con la gestión de la identidad y los servicios de confianza Términos y conceptos relativos a la gestión de la identidad y los servicios de confianza,* Nueva York, 2018, p. 7.

Los centrados en el usuario, permiten al usuario el control pleno de su identidad; es decir, se concentra y optimiza para los usuarios finales. Esto conlleva que su objetivo principal del sistema de gestión sea proporcionar servicios de identidad convenientes y completos a los usuarios.

En el marco normativo europeo actual encontramos un sistema de gestión de la identidad centrado en la aplicación, tal y como aparece en el Reglamento eIDAS[166]; es decir, un sistema en el que existen un proveedor de servicios de identidad y una parte confiante. De esta forma, se hace necesaria la aparición del citado prestador de servicio de identidad, que puede identificarse como una entidad que va a tratar con la identidad de la transacción, no con el individuo, en el sentido de que realmente los contratos se van a hacer con esa identidad, una identidad que se compone de información almacenada digitalmente, que el sistema otorga autenticidad. Ahora bien, existe otro tipo de sistema de gestión de identidad centrada en el usuario, es decir, que los servicios y políticas en materia de identidad van a ser concebidos para satisfacer los requisitos de los proveedores de servicios de identidad

---

166 COMISIÓN EUROPEA, *Plan de acción sobre la firma electrónica y la identificación electrónica para facilitar la prestación de servicios públicos transfronterizos en el mercado único (COM (2008) 798 final)*, Bruselas, 28 de noviembre de 2008.

y optimizados para los requisitos de las aplicaciones, por ejemplo, el suministro de la información de la cuenta de un usuario, que es el que parece que, definitivamente, se va a implantar con la propuesta de modificación del Reglamento eIDAS[167].

a. El uso de Blockchain para la identidad electrónica

En términos generales, blockchain o cadena de bloques se interpreta como una máquina para generar confianza, transparencia, confiabilidad, velocidad y efectividad en transacciones electrónicas automáticas. La amplia implementación de las soluciones de blockchain, en diferentes sectores, nos obligará a superar algunos desafíos relacionados con la representación de los activos fuera de la cadena, las fuentes de datos externas, el rendimiento, la estandarización o la interoperabilidad.

El blockchain no solo se trata de una nueva tecnología, sino también de un serio desafío para nuestros modelos tradicionales de cumplimiento normativo, organización, gobierno y operaciones comerciales.

---

167 COMISIÓN EUROPEA, *Propuesta de Reglamento del Parlamento Europeo y del Consejo por el que se modifica el Reglamento (UE) n.º 910/2014 en lo que respecta al establecimiento de un Marco para una Identidad Digital Europea*, Bruselas, 3 de julio de 2021.

En este contexto, debemos estudiar el blockchain como un avance muy significativo, ya que garantiza niveles elevados de trazabilidad y seguridad en las transacciones económicas en línea. Asimismo, se espera que influya en los servicios digitales y transformen los modelos de negocio en una amplia gama de sectores, como la asistencia sanitaria, los seguros, las finanzas, la energía, la logística, la gestión de los derechos de propiedad intelectual o la administración pública[168].

Blockchain es un registro autorizado en el que todos confían dentro de la red, sin la existencia de una autoridad central. Todos los nodos de la red pueden llegar al mismo consenso al compartir información y armar un libro compartido, global y público en el que todos confíen. En pocas palabras, la confianza se comparte y se basa en los siguientes procesos[169]:

a) La verificación de cada transacción, contra ciertos criterios cuando es recibida por cada nodo y antes de que se propague a los demás nodos de la red.

---

168 CERRILLO I MARTÍNEZ, A., "A las puertas de la administración digital", *Instituto Nacional de Administración Pública*, 2016, p. 51.

169 MILLAR, C.: "Blockchain and law: Incompatible codes?", *Computer Law & Security Review*, 2018, vol. 34, núm. 4, pp. 843-846.

b) La validación de transacciones en nuevos bloques, a través de la minería de datos.

c) La validación de los bloques recién generados por todos los nodos.

d) La adición de los nuevos bloques generados a la cadena con el mayor esfuerzo computacional posible.

A través de lo comentado, las tecnologías de cadena de bloques y de registros descentralizados podrían posibilitar la realización de importantísimos avances que transformarán la manera en que se intercambia, valida, comparte y accede a la información o los activos a través de las redes digitales. Es probable que su desarrollo continúe en los próximos años y que se conviertan en un componente esencial de la economía y la sociedad digitales[170].

Habida cuenta del carácter transversal de la cadena de bloques, cuya importancia transciende los servicios financieros y que podría encontrar aplicación

---

170 COMISIÓN EUROPEA, *Comunicación de la Comisión al Parlamento Europeo, al Consejo, al Comité Económico y Social Europeo y al Comité de las Regiones relativa a la revisión intermedia de la aplicación de la Estrategia para el Mercado Único Digital Un mercado único digital conectado para todos COM/2017/0228 final*, Bruselas 10 de mayo de 2017.

en todos los sectores de la economía y la sociedad, la Comisión ha tomado ya medidas para poner en marcha una iniciativa relativa a las cadenas de bloques de la UE con la creación del Observatorio y Foro de la Cadena de Bloques de la UE[171]. La iniciativa propondrá actuaciones, medidas de financiación y un marco para posibilitar la escalabilidad, desarrollar la gobernanza y los estándares y apoyar la interoperabilidad.

Por otro lado, debemos indicar que se dice que Blockchain es un libro público distribuido en muchas computadoras. En esencia, la tecnología blockchain proporciona el no repudio de las transacciones ordenadas por tiempo, por parte de un grupo de servidores distribuidos, generalmente, bajo el control de diferentes personas, generalmente en diferentes ubicaciones y preferiblemente en diferentes países. Los participantes dentro de la red tienen su propia copia del libro mayor. Los cambios en el libro mayor son públicos y se transmiten a todos los nodos participantes. Los cambios en el libro mayor aparecen efectivamente en todas las copias.

---

171 COMISIÓN EUROPEA, *Comunicación de la Comisión al Parlamento Europeo, al Consejo y al Comité Económico y Social Europeo: Un sistema equilibrado de garantía de cumplimiento en materia de propiedad intelectual en respuesta a los retos sociales actuales COM/2017/0707 final*, Bruselas 29 de noviembre de 2017.

Como puede observarse el blockchain es la próxima evolución de la identidad digital, al permitir garantizar que la información depositada en él es inalterable, es decir sirve como registro de que las cosas existen haciendo que el usuario pueda administrar, usar y controlar el acceso a su información de identidad.

Ahora bien, hay preguntas sobre la escalabilidad de los sistemas blockchain, especialmente para su uso mundial e incluso regional. Por un lado, en relación con la seguridad de los datos que reviste una importancia crítica para el funcionamiento correcto y la fiabilidad de las transacciones de identidad, tanto desde el punto de vista de la protección de la confidencialidad de los datos personales presentes en esas transacciones como para garantizar el funcionamiento correcto y la fiabilidad de las comunicaciones de credenciales que constituyen la propia transacción.

En otras palabras, blockchain se anuncia como muy prometedor; sin embargo, se enfrenta a varios desafíos[172] en su adopción más amplia:

a) Limitaciones en educación y experiencia en torno a la tecnología, cómo funciona, cómo pueden utilizarla las organizaciones y cómo se

---

172 Disponible: https://www2.deloitte.com/content/dam/Deloitte/uk/Documents/Innovation/deloitte-uk-blockchain-key-challenges.pdf (última visita: 4 de septiembre de 2025).

llega a un consenso en ausencia de una autoridad central o intermediaria.

b) La naturaleza distribuida del blockchain permite a las organizaciones dentro del mismo sector trabajar juntas en problemas comunes. Lo que sucede actualmente es la fragmentación.

c) El Blockchain como proceso de negocio representa la transición de la confianza de las autoridades centrales a las redes descentralizadas. Este cambio puede significar que ciertas entidades, por ejemplo, los bancos pueden perder parte del control que tienen sobre los datos, lo que podría causar conflictos de interés.

d) El costo asociado al mantenimiento y actualización del blockchain es significativo.

e) Los marcos regulatorios existentes deben revisarse, ya que deben adaptarse a las necesidades de las partes interesadas en términos de blockchain. No obstante, la Comisión parlamentaria de la UE sobre asuntos económicos y monetarios acordó[173] que la regulación de la cadena de bloques no es una preocupación inmediata.

---

173 Disponible: https://www.reuters.com/article/us-eu-blockchain-regulations-idUSKCN0XN0Y7 (última visita: 4 de septiembre de 2025).

f) Los problemas de privacidad pueden ser el centro de atención cuando las personas se vinculan indiscutiblemente con las aplicaciones de blockchain.

Conforme a lo observado, podemos ver como la actualidad, se están desarrollando sistemas en los que se utiliza el blockchain como sistema de gestión de la identidad para su utilización en operaciones de todo tipo.

En base al principio básico de los sistemas de gestión de la identidad, cada sistema que gestiona una identidad vinculada a un sujeto a su registro, pudiendo resumirse de la siguiente manera: un usuario se presenta a una autoridad de certificación o no, identificándose, bien mediante su certificado digital o un DNI o rellenando un formulario o enviando un correo electrónico (para la obtención de un correo electrónico se rellena un formulario previo o incluso el receptor del correo identifica al remitente en virtud de la buena fe negocial)[174]; entonces, la autoridad de confianza verifica la identidad del usuario y le da una identificación, la cual tendrá que ser presentada por el usuario, cuando desee utilizar el servicio[175].

---

174 MADRID PARRA, A.: "La identificación electrónica", *Revista de la Contratación Electrónica,* abril, núm. 15, 2001, pp. 3-60.

175 MADRID PARRA, A.: "Seguridad en el comercio electrónico" en *Contratación y comercio electrónico,* (Dir. Orduña

Si asumimos que cada sistema aplica estas medidas para facilitar algún servicio (pensemos que el Blockchain también se produce un registro), observamos que la comprobación de la identidad es esencial, de tal manera que, si esta comprobación de la identidad del usuario es errónea o si la prestación del servicio queda en una falsedad, se pone en peligro el sistema y con ella la fiabilidad del propio proceso.

En este contexto, debemos hacer hincapié en la confianza que, al igual que la buena fe, sabemos, no opera sólo en una dirección, sino que implica una carga de lealtad recíproca. Es consecuencia de un valor paradigmático del acuerdo, como posibilitador de aquellas relaciones humanas que se forman fuera del marco de lo afectivo y que no encuentran fundamento estricto en las relaciones de poder[176].

Moreno, F. Campuzano Laguillo, A.B. – Coord. Plaza Penadés, J.), Titant lo Blanch, Valencia, 2003, p. 139; en "La identificación en el comercio electrónico", *Revista de Contratación Electrónica*, núm. 15, abril, 2001, pp. 3-60; y en "Aspectos jurídicos de la identificación en el comercio electrónico", en *Derecho del Comercio Electrónico* (Dir. Illescas Ortiz, R.; Coord. Ramos Herranz, I.), Ed. Wolters Kluwer, Madrid, 2010, p. 206.

176 MATTA, L. F., "Contestación al discurso de instalación de la Profesora Olga Soler Bonnin", Real *Academia de Jurisprudencia y Legislación*, Puerto Rico, 2013. Disponible

Hablamos de depósito conceptual de los valores comunitarios, imponiéndose consecuencias que van más allá del interés individual y hasta del interés de la otra parte contratante. Se trata de la manifestación del postulado de la inalterabilidad del derecho preexistente[177], de las obligaciones privadas en la contratación electrónica, configurándose como un postulado de afirmación necesaria ante la complejidad del medio.

Al final del proceso de identificación estarán los datos recogidos y consignado en el documento electrónico de identidad, que se conoce como credencial de la identidad. De esta forma, como hemos comentado anteriormente, se trata de algo que una persona sabe (contraseña, PIN), posee (tarjeta inteligente, e-DNI, pasaporte), o es (datos biométricos), factores esenciales en el conocimiento y en la posesión, que requieren que la persona que se va a autenticar ante un sistema recuerde o lleve consigo el dispositivo que le identifica.

Con el fin de comprender lo que la identificación y su autenticación implican, así como su importancia

---

en: http://academiajurisprudenciapr.org/new/contestacion-al-discurso-de-la-profesora-olga-soler-bonnin/ (última visita: 24 de noviembre de 2024).

177 ILLESCAS ORTIZ, R., *Derecho de la contratación electrónica*, Ed. Thomsom Reuters, Pamplona, 2023, p.146.

en las transacciones, es necesario repetir las funciones del sistema de gestión de la identidad. Por ello, con el registro se realiza una doble pregunta, que hemos hecho antes por separado; pero que, en el sistema, se realiza de forma consecutiva: "¿quién es usted? y ¿cómo puede probarlo?". La capacidad, para dar una respuesta fiable y creíble a esas preguntas, se ha convertido en un requisito decisivo de las actividades del comercio electrónico, especialmente, a medida que aumenta la importancia y la confidencialidad de ese tipo de transacciones. Apoyándose en las respuestas a esas dos preguntas, la parte en una transacción en línea puede decidir si procede o no a efectuar la transacción, es decir, si procede o no a autorizar o autenticar la transacción. Por ejemplo, la parte que procede a realizar la transacción va a decidir si celebra un contrato con la otra parte, si le permite el acceso a una base de datos confidencial o si le otorga algún otro privilegio[178].

Hoy en día, existen una gran variedad de registros, tanto públicos como privados, con un claro predominio de los públicos sobre los privados, pues, son los

---

178 UNCITRAL, *Panorama general de la gestión de la identidad digital: Documento de antecedentes presentado por el Identity Management Legal TaskForce de la American Bar Association*, Viena, 29 de octubre – 2 de noviembre de 2012, p. 3.

Gobiernos de los distintos Estados los que tratan de controlar la validez de la identidad de cada persona. Obsérvese también, que las leyes de firma electrónica se han fijado casi en exclusiva en los métodos de autorización de la transacción, estableciendo requisitos técnicos a las firmas electrónicas.

En definitiva, con la evolución de la tecnología se están creando grandes archivos electrónicos, con ello grandes bases de datos comerciales y estatales. Un identificador nacional, contenido en una cédula de identidad, permite capturar información sobre una persona, que se halla en diferentes bases de datos, con el fin de que ellas puedan ser fácilmente enlazadas y analizadas a través de determinadas técnicas de análisis de datos. De la misma manera que las cédulas de identidad también se están volviendo "más inteligentes".

A pesar de lo anterior, surge una cuestión: cuando una persona se inscribe en un registro distinto para utilizar otros servicios y crear por tanto otra identidad electrónica; surge un problema en el que una sola identidad no puede asociarse a diversas cuentas, ya que por un lado puede que no estén no conectadas entre sí, por cuestiones relativas a la prescripción tecnológica correspondientes a cada aplicación y a cada plataforma que se use o puede pensarse en un posible uso fraudulento de la identidad.

Con ello, debe advertirse que en un entorno en línea autenticar la identidad de la parte remota es más importante que nunca. Desempeña un papel clave en la lucha contra el fraude de identidad[179] y, además, es esencial para establecer una confianza necesaria que facilite cualquier tipo las transacciones electrónicas.

Por otro lado, la generación de los datos tiene, además, la virtualidad de ofrecerse en un medio donde pueden pasar a ser directamente tratados. De esta forma, se crean archivos susceptibles de cruce y estructuración, así como de cesión y uso comercial. Por esta razón, hay que poner especial atención ante cualquier sistema de gestión de la identidad, pues estos normalmente implican una la colección; por ejemplo, un proveedor de identidad y la revelación a un usuario de confianza, de cierta información personal acerca de un sujeto individual.

Además, las transacciones de identidad también pueden facilitar el seguimiento de las actividades de un individuo, generando información personal adicional. Por lo tanto, la gestión de identidades presenta un nuevo desafío a la privacidad, en la que la

---

179 UNCITRAL, *Detección y prevención del fraude comercial Indicadores de fraude comercial. Indicadores de fraude comercial Documento preparado por la secretaría de la CNUDMI*, Nueva York, 2013, p. 13.

transferencia de la información de identidad personal ocurre entre las organizaciones, así como entre el individuo y la organización. Habrá, pues, que analizar en cada caso si estos datos adquieren la condición de personales y, por tanto, están sometidos a la legislación sobre datos personales.

En Estonia[180] cuyo programa de residencia electrónica es el primer programa internacional de identidad digital operado y autenticado por el gobierno para personas que no son ciudadanos ni residentes de Estonia. El proyecto integra una gran cantidad de datos de registros médica, judiciales, legislativos, de seguridad y de códigos comerciales, que se almacenan en un libro mayor de blockchain para protegerlos de la corrupción y el mal uso. De esta forma, a través de una tarjeta de identidad digital activada y protegida por blockchain permite a los ciudadanos acceder a los servicios públicos. Los ciudadanos pueden verificar sus registros en las bases de datos del gobierno en la plataforma de blockchain y controlar el acceso a la información.

Otro ejemplo lo encontramos en Georgia[181], cuya la Agencia Nacional de Registro Público está utilizando un

---

180 Disponible en: https://e-estonia.com/ (última visita: 2 de septiembre de 2025).

181 Disponible en: https://exonum.com/napr (última visita: 2 de septiembre de 2025).

sistema de cadena de bloques a medida, para registrar los títulos de propiedad y validar las transacciones, con el objetivo de aumentar la transparencia, reducir el fraude y generar ahorros.

En este mismo camino encontramos a Singapur, que recientemente ha lanzado una plataforma de comercio nacional (Networked Trade Platform–NTP[182]) basada en blockchain. Se espera que el nuevo ecosistema conecte empresas, sistemas y plataformas de la comunidad y sistemas gubernamentales. La nueva plataforma de comercio nacional reemplazará a las plataformas actuales de Trade Net[183] y TradeXchange[184] para declarar permisos y otros servicios para comercio y logística. Asimismo, conviene indicar el importante proyecto Ubin[185] para explorar el uso de la tecnología de libro mayor distribuido (Distributed

182 Disponible en: https://www.customs.gov.sg/about-us/national-single-window/networked-trade-platform (última visita: 2 de septiembre de 2025).

183 Disponible en: https://www.customs.gov.sg/about-us/national-single-window/tradenet (última visita: 2 de septiembre de 2025).

184 Disponible en: https://www.tradexchange.gov.sg/tradexchange/index.html (última visita: 4 de enero de 2025).

185 Disponible en: http://www.mas.gov.sg/Singapore-Financial-Centre/Smart-Financial-Centre/Project-Ubin.aspx (última visita: 4 de enero de 2025).

Ledger Technology- DLT) para la compensación y liquidación de pagos y valores. Esta tecnología ha demostrado potencial para hacer que las transacciones y procesos financieros sean más transparentes, resilientes y menos costosos menor. El objetivo del proyecto es ayudar a que la autoridad monetaria de Singapur y la industria comprendan mejor la tecnología y los beneficios potenciales que puede aportar a través de la experimentación práctica. Esto es con el objetivo final de desarrollar alternativas más simples de usar y más eficientes para los sistemas actuales basados en tokens digitales emitidos por el banco central.

Asimismo, no podemos olvidarnos de las diversas iniciativas que se están llevando a cabo en la Unión Europea, como por ejemplo el programa Europa Digital, todos los programas para la explotación de sistemas electrónicos, la reutilización de los elementos esenciales del Mecanismo "Conectar Europa", el Marco Europeo de Interoperabilidad, el Plan progresivo de normalización de las TIC el Plan de acción sobre tecnología financiera, Horizonte Europa o los trabajos del Observatorio y Foro de la Cadena de Bloques de la UE y otras iniciativas en materia de riesgos vinculados con el fraude y la ciberseguridad. Como parte del su proyecto *#Blockchain4EU:Blockchain for Industrial Transformations*, la Comisión está analizando cómo se puede utilizar Blockchain para fortalecer la transparencia de las cadenas de suministro la Comisión Europea, junto al observatorio está analizando cómo se puede utilizar Blockchain para fortalecer la transparencia de las cadenas de suministro.

En cualquier caso, debe tenerse en cuenta que Estonia está desempeñando un papel capital en el desarrollo del nuevo mercado único digital que se está estableciendo en la UE y en el establecimiento de la Identidad Digital Única de la UE como parte del desarrollo del nuevo mercado.

El objetivo de la Identidad Digital Única es el reconocimiento mutuo de las identificaciones electrónicas autenticadas por un Estado miembro en otros, para permitir transacciones comerciales internacionales remotas en la UE. Según el programa, las personas y empresas de la UE, independientemente de su nacionalidad o lugar de residencia en la Unión, podrán realizar transacciones en línea sin problemas.

La estrategia del mercado único digital se basa en tres pilares[186]:

1. Acceso: mejor acceso para los consumidores y las empresas a los bienes y servicios digitales en toda Europa;

---

[186] Disponible en: https://ec.europa.eu/digital-single-market/ (última visita: 2 de septiembre de 2025).

2. Medio ambiente: crear las condiciones adecuadas y un campo de juego nivelado para que prosperen las redes digitales y los servicios innovadores;
3. Economía y sociedad: maximizar el potencial de crecimiento de la economía digital.

Resulta interesante destacar que una característica clave de todos los esquemas de identidad modernos es que la información necesaria, para establecer la identidad en el momento de una transacción varía según los requisitos de la entidad de transacción.

Por ello, en nuestro estudio pretendemos fijarnos en la influencia que el Blockchain va a tener en la identidad digital. Existe una particular demanda de mayor estandarización en las tecnologías de cadena de bloques/registros descentralizados, interfaces de programación de aplicaciones y gestión de la identidad.

En relación con ello, pensemos en el reconocimiento, especialmente en un ámbito transfronterizo, es importante para facilitar la utilización de credenciales de identidad y así como la confianza en esas credenciales, tanto en los distintos sistemas de identidad como a través de los límites jurisdiccionales. En este punto, si bien existen ejemplos de buenas prácticas para ocuparse de la cuestión, como, por ejemplo, en la Unión Económica de Eurasia: sobre la base del Tratado de la Unión Económica de Eurasia y del Concepto de la utilización de servicios y documentos electrónicos con efectos jurídicos en interacciones informáticas entre Estados; y en la región de Asia y el Pacífico, sobre la base de la Alianza Panasiática de Comercio Electrónico (PAA)[187]. El Reglamento eIDAS es el único texto normativo que trata concretamente de cuestiones transfronterizas relacionadas con la gestión de la identidad.

Sobre la base del Reglamento, podemos ocuparnos de resolver: a) si debe existir o no el requisito de reconocer las credenciales y como; b) si existe el requisito de reconocer las credenciales, ¿quién debe estar obligado a reconocerlas?; c) si existe el requisito de reconocer las credenciales, ¿de qué parte deberían reconocerse las credenciales?; d) ¿cuál es la finalidad de ese reconocimiento mutuo?; e) ¿qué significa exactamente "reconocimiento mutuo"?; f) ¿qué características (es decir, niveles de garantía) deberían estar presentes para el reconocimiento mutuo?; g) ¿deberían

---

187 UNCITRAL, *Cuestiones jurídicas relacionadas con la gestión de la identidad y los servicios de confianza. Propuesta de la Federación de Rusia Mejora del sistema de gestión de la identidad mediante el uso de un entorno transfronterizo de confianza y una infraestructura de confianza común para las operaciones electrónicas transfronteriza*, Nueva York, 24 a 28 de abril de 2017, pp. 3 y 4.

existir límites en relación con el momento en que se aplica el reconocimiento mutuo?; y h) ¿debería aplicarse el reconocimiento mutuo a la identidad de personas jurídicas, dispositivos u objetos digitales?[188].

Esta cuestión puede resolverse planteando un reconocimiento jurídico ex ante, ex post o a través de un cuadro de equivalencias. Un reconocimiento jurídico ex ante podemos encontrarlo artículo 6 del Reglamento eIDAS permite utilizar los medios de identificación electrónica de un Estado miembro de la Unión Europea para acceder a un servicio prestado en línea por un organismo del sector público de otro Estado miembro, si se cumplen determinadas condiciones. Una de esas condiciones es que los medios de identificación electrónica se expidan a través de un sistema de identificación electrónica notificado a la Comisión Europea y cumplan los requisitos de interoperabilidad establecidos por la Comisión Europea. Como parte del proceso de notificación se realiza un examen por homólogos o revisión inter pares.

Un reconocimiento ex post, podía verse en la derogada Directiva de firma electrónica que, en base al

---

188 UNCITRAL, *Cuestiones jurídicas relacionadas con la gestión de la identidad y los servicios de confianza Propuesta de los Estados Unidos de América*, Nueva York, 24 a 28 de abril de 2017, p. 3.

principio de libre acceso, los prestadores de servicios de certificación europeos, en referencia a la firma electrónica reconocida, se encontraban ante un control y una supervisión *ex post,* como decía la Directiva Europea 1999/93/CE del Parlamento Europeo y del Consejo, de 13 de diciembre de 1999, sobre firma electrónica, "hasta que haya recaído la decisión positiva administrativa", dejando en manos de los prestadores de servicios de certificación el cumplimiento de las obligaciones.

Finalmente, en cuanto a un reconocimiento basado en cuadro de equivalencia puede tenerse en cuenta el Reglamento de Ejecución de la Comisión Europea 2015/1502, de 8 de septiembre de 2015 sobre la fijación de especificaciones y procedimientos técnicos mínimos para los niveles de seguridad de medios de identificación electrónica con arreglo a lo dispuesto en el artículo 8, apartado 3, del Reglamento eIDAS, que establece elementos comparativos en torno a los niveles de seguridad a fin de centrar la labor en los resultados, lo que, a su vez, garantizaría la aplicación del principio de neutralidad tecnológica y equivalencia funcional. Esos elementos a tener en cuenta son: la inscripción, la gestión de los medios de identificación electrónica, la autenticación y la gestión y organización.

Se trata de establecer ciertas condiciones, en relación con qué medios de identificación electrónica, que permitan aplicar el principio de reconocimiento mutuo, siempre que los niveles de seguridad de la identidad correspondan a un nivel igual o superior al exigido para el servicio en línea de que se trate.

b. Sistema de Gestión de la Identidad basada en la identidad soberana

Las nuevas tecnologías evolucionan impulsando cambios en la capacidad y la dirección de soluciones de gestión de identidad y de sus propios sistemas de gestión[189]. Podemos encontrar: los motores de procesamiento de datos y computación en la nube, que permiten la recogida, clasificación y almacenamiento de enormes cantidades de información de manera centralizada; Internet de las cosas, que crea escenarios previamente inexistentes para la identidad electrónica; o, incluso, la Inteligencia artificial, que permitirá el seguimiento automatizado de identidades, basándose en patrones y relaciones complejas entre fuentes de datos no estructuradas para determinar la validez de las transacciones; es decir, los algoritmos permitirán

---

[189] COMISIÓN EUROPEA, *Trends in electronic identification an overview Value Proposition of eIDAS eID*, Bruselas, 2018, p. 18.

el uso de huellas digitales, basado en actividades y transacciones realizadas por el individuo, como prueba de identidad en lugar de estáticas credenciales. En cualquier caso, la que nos interesa en este apartado son la tecnología de libro mayor distribuido o auto-soberana, donde se sitúa Blockchain, que tiene potencial para interrumpir en el enfoque tradicional propio de los sistemas de gestión de identidad mediante el almacenamiento de una única identidad por usuario de forma descentralizada, de confianza y manera inmutable[190].

La idea general de la identidad auto-soberana se basa en repositorios personales portables en los que podemos almacenar y administrar todas nuestras claves privadas, de nuestros autenticadores, de nuestros tokens y de las credenciales digitales. Estos repositorios se conocen como billeteras digitales. En este contexto puede decirse que ya existen aplicaciones móviles que podemos descargar en nuestros ordenadores que nos permiten ver y administrar todos nuestros tokens y credenciales digitales, pudiendo decidir cuándo los usamos o los compartimos y con quién[191].

---

190 ALLENDE LÓPEZ, M., "La Identidad digital auto-soberana. El futuro de la identidad digital: auto-soberanía, billeteras digitales y Blockchain", *Alianza Global LACChain*, 2020, p. 31-32.

191 W3C, *Decentralized Identifiers (DIDs) v1.0 Core architecture, data model, and representations. Proposed Recommendation,*

La identidad auto-soberana se basa en el uso de identificadores descentralizados, que son un nuevo tipo de identificador para aplicaciones digitales de identidad verificables, que se sitúan bajo el control del identificado y es independiente de cualquier registro, proveedor de identidad o autoridad certificadora. Los identificadores descentralizados son realmente URL que relacionan un sujeto con el medio, para la realización de interacciones confiables con ese tema. Cada identificador descentralizado puede contener al menos tres cosas: propósitos de prueba, métodos de verificación y puntos finales de servicio[192].

Este sistema de gestión de la identidad se incorpora a la Propuesta de Reglamento por el que se modifica el Reglamento eIDAS, en lo que respecta al establecimiento de un Marco para una Identidad Digital Europea. En este sistema el usuario es el administrador central de su identidad, teniendo mucho más control sobre los datos y la información que se comparte y se conoce sobre él. Asimismo, debe decirse que la identidad auto soberana emplea dos elementos esenciales

---

agosto, 2021. Puede consultar en: https://w3c.github.io/did-core/#sotd (última visita: 9 de septiembre de 2025).

192 ALAMILLO DOMINGO, I, *Identificación, firma y otras pruebas electrónicas: la regulación jurídico-administrativa de la acreditación de las transacciones electrónicas*, Ed. Aranzadi, Pamplona, 2019, p. 120.

para la gestión de la identidad: los registros descentralizados de información y las carteras ("billeteras o monederos") digitales.

Con el Reglamento eIDAS vigente, para la identificación electrónica se basa en el principio de cumplimiento transfronterizo y el reconocimiento mutuo entre Estados miembros; pues, según eIDAS, los servicios públicos en línea que solicitan la autenticación están obligados a reconocer los sistemas de identificación electrónica notificados por otros Estados miembros, siendo el notificando al Estado miembro responsable de la autenticación proporcionada por estos sistemas de identificación electrónica. Ahor bien, a pesar de que el reconocimiento es obligatorio para los servicios públicos, los servicios privados también pueden reconocer la identificación electrónica extranjera notificada. Técnicamente, este reconocimiento mutuo está garantizado por el marco de interoperabilidad eIDAS, a través de Building Block eID[193], que asegura la interoperabilidad jurídica, organizativa, semántica y técnica, basado en el despliegue de nodos eIDAS nacionales que gestionan el intercambio transfronterizo de información.

---

193 Puede consultarse en https://ec.europa.eu/cefdigital/wiki/display/CEFDIGITAL/eID (última visita: 3 de septiembre de 2025).

Ahora bien, el problema es que para que se produzca este efecto jurídico de reconocimiento transfronterizo con respecto a los sistemas de identificación electrónica, deben concurrir simultáneamente las tres condiciones legalmente previstas en el artículo 6.1 del Reglamento eIDAS, que no son fáciles de cumplir: a) que medio de identificación electrónica haya sido expedido en virtud de un sistema de identificación electrónica incluido en la lista publicada por la Comisión Lo que ha motivado ; b) el nivel de seguridad de este medio de identificación electrónica corresponda a un nivel de seguridad igual o superior al nivel de seguridad requerido por el organismo del sector público para acceder a dicho servicio (siempre que éste sea alto); y c) el organismo público en cuestión debe utilizar un nivel de seguridad sustancial o alto en relación con el acceso a ese servicio en línea[194].

Conforme a lo anterior, se proyectó la modificación del Reglamento eIDAS; pues, desde la entrada en vigor de la sección del Reglamento relativa a la identidad electrónica en septiembre de 2018, tan solo catorce Estados miembros han notificado al menos un sistema de identidad electrónica. Solo hay siete

---

194 ALAMILLO DOMINGO, I., "el uso de los sistemas de identidad auto-soberana en el sector público español y de la unión europea", *Blockchain intelligence*, 2019, pp. 1-22.

sistemas completamente móviles que responden a las expectativas actuales de los usuarios[195]. Puesto que no todos los nodos técnicos establecidos para garantizar la conexión con el marco de interoperabilidad contemplado en el Reglamento eIDAS se encuentran plenamente operativos, el acceso transfronterizo es limitado; asimismo, los servicios públicos accesibles a escala nacional a los que también se puede acceder a través de la red eIDAS son muy escasos[196].

Por otro lado, cabría preguntarse si a través de registros distribuidos ¿es posible plantear darle a la identidad digital personalidad jurídica atendiendo a los principios que van a ordenar el Blockchain? Es decir, ¿la identidad de la transacción está investida con personalidad jurídica?

La personalidad jurídica sabemos que se le otorga a un ser humano, organización, empresa o cualquier otra entidad para ser titular de derechos y obligaciones. No obstante, pensemos que, si bien existe una

---

195 COMISIÓN EUROPEA, *Brújula Digital 2030: el enfoque de Europa para el Decenio Digital*, Bruselas, 9 de marzo de 2021.

196 COMISIÓN EUROPEA, *Propuesta de Reglamento del Parlamento Europeo y del Consejo por el que se modifica el Reglamento (UE) n.° 910/2014 en lo que respecta al establecimiento de un Marco para una Identidad Digital Europea, Bruselas*, 3 de julio de 2021.

conexión entre la identidad digital y cualquier persona, es la información anexada a la transacción la que va a desempeñar el papel crucial en la transacción, no el individuo con el que se supone que se relaciona. En otras palabras, la identidad de la transacción existe solo como una capacidad abstracta para que la transacción se realice o eche a funcionar.

El legislador, en la actualidad, no en ningún momento parece haber querido tener en cuenta la posibilidad de crear una identidad de transacción, y mucho menos dotarla de personalidad jurídica, el esquema empieza a ser patente con el Blockchain al observarse la descentralización y, por tanto, plantear la posibilidad de otórgale personalidad jurídica, pero en relación a los nodos, que estarán registrados en el sistema, lo que nos llevará a relacionarlo con entidades, que dominarán los nodos que van a procesar la información y, en definitiva, los big data y la Inteligencia artificial[197].

La identidad de transacción es, de hecho, una colección de información designada a la que se le otorga estatus legal y efecto por el esquema particular. Es la información la que, si tiene significado y función y,

---

197 CUKIER, K. & MAYER-SCHOENBERGER, V., *Big Data. A Revolution that will transform how he live, work, and think*, Nueva York, 2013, p. 215.

como tal, desafía el enfoque legal tradicional. Como decimos, la información que constituye la identidad de la transacción es más probable que identifique a una persona, permitiendo al sistema automatizado realizar transacciones[198]; es decir, va a existir una combinación automática de datos máquina a máquina, nodo a nodo. Con esto, se aprecia un problema: si la información de identidad de la transacción presentada en el momento de una transacción no coincide exactamente con la información registrada, el sistema no reconocerá la identidad, aunque fuera auténtica y el sistema no habilitará las transacciones.

VIII. LA CARTEREA O MONEDERO EUROPEO DE IDENTIDAD DIGITAL

a. régimen jurídico del Monedero de Identidad Digital Europeo

El eIDAS 2.0 consta de dos partes diferenciables: una relacionada con el EUDIW como medio de identificación y contenedor de certificaciones electrónicas

---

198 KNIGHT, A & SAXBY, S., "Identity crisis: Global challenges of identity protection in a networked world", *Computer Law & Security Review*, 2014, núm. 30, p. 617-632.

de atributos, y la otra relacionada con los servicios de confianza, entre ellos las certificaciones electrónicas de atributos.

De acuerdo con el artículo 3,42 del eIDAS 2.0, el EUDIW es un medio de identificación electrónica que permite al usuario almacenar, gestionar y validar de forma segura datos de identificación personal y certificaciones electrónicas de atributos con el fin de facilitarlos a terceros que confían en él y a otros usuarios de los monederos electrónicos de identidad digital europeos, y firmar mediante firmas electrónicas cualificadas o sellar mediante sellos electrónicos cualificados. En otras palabras, el EUDIW tiene por objeto garantizar el acceso a identidades digitales de confianza que permitan a los usuarios tomar el control de sus interacciones y su presencia en línea.

Por otra parte, de acuerdo con el artículo 5a (2) del eIDAS 2.0, el EUDIW deberá ser emitido por un Estado miembro, en nombre de un Estado miembro, o por entidades independientes reconocidas por un Estado miembro. Sin embargo, dado que el EUDIW no puede ser independiente de ningún sistema de terceros, ya que esto significaría que incluso el hardware tendría que ser proporcionado por o en nombre del Estado, se aplicarán algunas de las disposiciones del artículo 24(2) relativas al servicio de confianza. El artículo 24(2)(e) especifica el requisito de utilizar sistemas y productos fiables protegidos contra modificaciones y garantizar la seguridad técnica y la fiabilidad de las operaciones que respaldan. Por lo tanto, se aplicará un pseudo-régimen para servicios de confianza cualificados a la emisión del monedero, lo que tiene sentido para el régimen de responsabilidad del artículo 13 para los proveedores de servicios de confianza que se aplique al desarrollo del EUDIW en caso de daños causados por el incumplimiento del artículo 5a (20).

El artículo 5c establece requisitos de ciberseguridad para los monederos electrónicos. Introduce la presunción de que la certificación o una declaración de conformidad realizada de conformidad con un esquema de ciberseguridad conforme a la ENISA.

El Reglamento cumple con los requisitos de ciberseguridad del artículo 5a, incluidos los requisitos de nivel de seguridad "alto" para la acreditación y verificación. En lo que respecta al cumplimiento de las operaciones de tratamiento de datos, la certificación debe realizarse de conformidad con lo dispuesto en el RGPD.

b. El desarrollo del marco establecido

El Reglamento Marco de Identidad Digital modificado se implementará completamente en 2026, incluida su nueva solución de EUDI Wallet de cada

Estado miembro para que sus residentes la utilicen de acuerdo con las especificaciones aprobadas[199]. Esta nueva Cartera de Identidad Digital reemplazará y mejorará los esquemas de identidad nacionales que se han creado bajo el Reglamento (UE) 910/2014 "eIDAS.

Las capacidades de EUDI Wallet permitirán a las personas físicas y jurídicas identificarse oficialmente en línea, compartir documentos oficiales legalmente válidos, firmar y sellar digitalmente y acceder a servicios públicos y privados en línea, actualizando el marco vigente en virtud del eIDAS. De este modo, las personas físicas podrán gestionar múltiples identidades y métodos de autenticación que convergerán en una única herramienta. Su implementación ya se está produciendo en pilotos a gran escala[200]. Al mismo tiempo, se acercan un aspecto tecnológico que se presenta como clave, como es la capacidad cuántica que pueden hacer vulnerable o "descifrable" el cifrado de clave pública, lo que podría poner en peligro el marco digital con un impacto significativo en muchos aspectos de la vida individual y económica.

---

199 COMISIÓN EUROPEA: *European Digital Identity (eID): Council Adopts Legal Framework on a Secure and Trustworthy Digital Wallet for All Europeans*, 26 marzo de 2024.

200 COMISIÓN EUROPEA: *Technical Specifications EU Digital Identity Wallet Technical specifications*, 30 junio de 2024.

El cifrado de clave pública ubicuo utilizado para preservar la de la ciberseguridad de los datos debe pasar de métodos de cifrado vulnerables a métodos de cifrado cuántico seguros.

En este contexto debemos tener en cuenta que la estandarización y la eventual adopción y adopción de algoritmos de cifrado postcuántico también es un cronograma desconocido. Esto lleva a otra pregunta: ¿en qué punto del desarrollo de la billetera debería realizar la transición a la criptografía postcuántica sin ser demasiado temprano o experimental? El lenguaje EIDAS 2 ha sido diseñado para permitir la neutralidad tecnológica junto con la adaptabilidad, lo que le permite adaptarse al estado del arte, pero ese no es un proceso de la noche a la mañana. Para ser claros, *a primera vista* EIDAS 2 no exige el uso de criptografía postcuántica desde su primer uso mientras las capacidades cuánticas no avancen. Las billeteras digitales deben garantizar la seguridad a medida que se desarrollen las capacidades de descifrado. Es esta flexibilidad la que convierte a Wallet en el vehículo ideal para liderar a nivel de la UE la transición de sus soluciones criptográficas basadas en la infraestructura de clave pública (PKI) actual a la adopción de una PKI híbrida que pueda resistir posibles ataques desde una computadora cuántica.

Dicho lo anterior, debe tenerse en cuenta que el monedero digital es una aplicación controlada por el usuario que va a permitir almacenar digitalmente identidades (nombre, fecha de nacimiento, número de identificación fiscal, nacionalidad, etc.) y credenciales, para firmar o sellar electrónicamente documentos como individuo, como persona jurídica o como representante, e incluso puede utilizarse para un servicio de entrega electrónica registrada cualificada. Estas cuestiones vienen establecidas en el Reglamento, donde enumera las capacidades sustancialmente ampliadas que se desarrollarán para los usuarios en el artículo 5 quater y quinquies[201]. En el caso del monedero digital, la UE ha creado una explicación fácil de usar dirigida a todos los usuarios ciudadanos, residentes o comerciales interesados, con versiones digitales de los documentos, que tendrán validez legal para su propietario, titular y verificador, por ejemplo, cuando se utilicen para solicitar una hipoteca dentro de la UE. Para facilitar su adopción, se crearán cada vez más servicios públicos y privados en línea a los que se pueda acceder digitalmente para recibir y verificar documentos digitales[202].

---

[201] KUTYŁOWSKI, M.; BŁAŚKIEWICZ, P., "Advanced Electronic Signatures and eIDAS – Analysis of the Concept", *Computer Standards & Interfaces*, 2023, núm.83.

[202] VAN DAALEN, O., "The right to encryption: Privacy as preventing unlawful access," *Computer Law & Security Review*, 2023, núm. 49.

Para apreciar el valor para los ciudadanos de la UE desde el punto de vista de la privacidad, es útil proporcionar una explicación de los tres roles clave en este monedero digital centrada en el usuario: emisor, titular y verificador. El emisor crea y emite credenciales al titular, quien recibe y almacena las credenciales, y elige compartirlas con el verificador. El verificador recibe y verifica las credenciales presentadas por el titular. El beneficio del sistema centrado en el usuario es eliminar la necesidad de que un tercero comparta o valide y pone al titular y al verificador en una relación directa. El usuario mantiene el control total sobre sus datos.

Cada Estado miembro debe ofrecer al menos una de sus propias versiones de la cartera a los ciudadanos, residentes y empresas, y cada cartera debe cumplir unas normas técnicas unificadas para ofrecer el mismo nivel de seguridad y funcionalidad, incluida la interoperabilidad con todas las demás carteras digitales de los demás Estados miembros. Desde una perspectiva política, esto significa que todos los ciudadanos, residentes y empresas, a pesar de la variedad de carteras, compartirán un único vehículo interoperable. Las características compartidas de las carteras, acompañadas de las medidas de facilidad de uso y accesibilidad para maximizar su adopción, crearán un único arca para navegar por las peligrosas aguas de la capacidad poscuántica.

Además de lo anterior, debe observarse que, de manera paralela a la propuesta del Reglamento eIDAS 2, publicada en junio de 2021, la Comisión Europea emitió una Recomendación sobre una "Caja de herramientas común de la Unión para un enfoque coordinado hacia un marco europeo de identidad digital"[203], que tenía como objetivo iniciar la cooperación entre los Estados miembros en la creación del Marco de Arquitectura y Referencias y la Caja de Herramientas sin esperar a que se finalizara eIDAS 2 y permitir que se planificaran los primeros prototipos de Monederos[204].

En abril de 2023, se lanzaron cuatro proyectos piloto a gran escala en la fase de prueba de los primeros prototipos de Wallets, que se prolongarán hasta la primavera de 2025. Sus especificaciones forman parte de la "caja de herramientas" de EUDI Wallet, que contiene el Marco de Arquitectura y Referencias. La versión actual de este Marco y, por lo tanto, de los prototipos actuales del monedero digital, utilizan criptografía de clave pública, específicamente RSA y

---

203 COMISIÓN EUROPEA, *Commission Recommendation (EU) 2021/946 of 3 June 2021 on a Common Union Toolbox for a Coordinated Approach towards a European Digital Identity Framework*, 2021.

204 COMISIÓN EUROPEA, *European Digital Identity Wallet Architecture and Reference Framework*, 2024.

criptografía de curva elíptica. El Marco se utilizará para desarrollar la implementación de referencia de la billetera digital, cuyos protocolos de clave pública (asimétricos) pueden ser vulnerables a la potencia de la computación cuántica.

Desde 2014, el Reglamento eIDAS, al igual que el eIDAS 2, tiene requisitos tecnológicamente neutros. El Reglamento eIDAS establece tres niveles de seguridad (bajo, medio y alto) para los distintos pasos procedimentales de los servicios de confianza, sin mencionar el cifrado de la infraestructura de clave pública, y su neutralidad tecnológica lo hace adaptable según sea necesario para lograr un alto nivel de seguridad. La forma de lograr y demostrar el cumplimiento de los tres niveles de garantía se estableció en el posterior Reglamento de Ejecución (UE) 2015/1502. La propia billetera se proporcionará con arreglo a un sistema de identificación electrónica con un nivel de garantía alto. Los "Requisitos para la certificación electrónica cualificada de atributos" del Anexo V mantienen la misma redacción tecnológicamente neutral, pero supone que los proveedores de servicios de confianza se basarán en una infraestructura de clave pública.

Con el objetivo de que la cartera digital europea sea de futuro, se anima a las pymes, las empresas emergentes, las partes interesadas de la industria y los investigadores a que aporten sus ideas para probar soluciones innovadoras para el Marco Europeo de Identidad Digital a través de entornos de pruebas que serán creados conjuntamente por los Estados miembros. En este entorno de práctica, los entornos de pruebas podrían ser un espacio ideal para implementar herramientas híbridas de cifrado cuántico seguro. El concepto de "espacio de pruebas" no está formalizado en los propios artículos de eIDAS 2, sino que se menciona en el considerando 36. El artículo 5 ter exige que los componentes de software de aplicación del Monedero tengan licencia de código abierto para permitir un cierto nivel de accesibilidad a los desarrolladores y de cooperación y evitar el bloqueo tecnológico. Los diseñadores del Monedero con la política de la UE podrían aprovechar el texto legal dinámico de eIDAS 2 para establecer un plan de migración para adoptar la criptografía híbrida, aprovechando la opción de los espacios de pruebas en las etapas iniciales cuando sea útil.

En este sentido, si la billetera EUDI se basa en una PKI vulnerable a la tecnología cuántica, como cualquier criptografía vulnerable a la tecnología cuántica, será necesaria una transición a la criptografía poscuántica. En este caso, si bien dicha transición es necesaria debido a las vulnerabilidades explicadas, la billetera podría funcionar como un "arca" metafórica para llevar a todos de la capacidad precuántica a la poscuántica. De hecho, si tenemos en cuenta que la billetera debe tener métodos de cifrado y almacenamiento de última generación a los que solo el usuario pueda acceder y descifrar, con cifrado de extremo a extremo para la comunicación con otras billeteras y partes que confían, podemos imaginar cómo se puede aprovechar la neutralidad técnica. En el encuentro de dos mundos, entre los redactores legales y los técnicos en ciberseguridad, el estilo de los instrumentos legales de ciberseguridad es el de objetivos de alto nivel seguidos de instrumentos de derecho blando, estándares y pautas técnicas[205].

En nuestra opinión, cartera digital es una excelente oportunidad para que la UE lidere esta transición, de modo que pueda ser un modelo ejemplar para empresas o desarrolladores de aplicaciones que también deben realizar la transición a la tecnología postcuantica para hacer seguros esos activos digitales vulnerables a la tecnología cuántica y cifrados de forma asimétrica.

La cartera digital está a sólo dos años de estar en manos de ciudadanos, residentes y empresas. Su uso sería voluntario, pero los usuarios tienen derecho a utilizar sus funciones, lo que implica que las partes

---

205 MANTELERO, A.; VACIAGO, G.; , "The Common EU Approach to Personal Data and Cybersecurity Regulation.", *International Journal of Law and Information Technology*, 2012, núm. 28, pp. 297–328.

que confían en él tendrían el deber de aceptarlo, es decir, las empresas estarían obligadas a aceptar el Monedero y sus atributos en sus procesos comerciales[206]. Para convertirse en una "parte confiante", deben registrarse en el Estado miembro e informar qué datos se requerirá recopilar y su propósito, y deben adherirse a ese alcance limitado o, de lo contrario, actualizar la información de registro.[32] Sin embargo, a pesar de que varias administraciones públicas en la UE podrían seguir operando sin conceder acceso digital, es fácil pronosticar que el EUDI Wallet se convertirá rápidamente en la herramienta clave para tratar con las administraciones públicas tanto para los ciudadanos como para las empresas que utilizan identidades digitales para acceder a los datos o servicios de la administración pública. En varios países, como en Italia, es obligatorio para las administraciones públicas locales y centrales proporcionar acceso a identidades digitales para cualquier servicio digital prestado. En otras palabras, está destinado a convertirse en la herramienta estándar a utilizar y la más utilizada universalmente: todos los ciudadanos que accedan *de facto* a los servicios digitales no solo la tendrán, sino que se les guiará suavemente para que aprendan a usarla y se les apoyará con campañas de

---

[206] Véase artículo 5, quarter del Reglamento.

sensibilización y formación de usuarios. Es difícil imaginar que las empresas tengan un sistema doble: el EUDI Wallet para interactuar con la administración pública y otro diferente para las transacciones entre empresas o entre empresas y consumidores. Esto puede ser especialmente cierto si se tiene en cuenta que los clientes de una empresa serán "capacitados" en el uso de la Cartera y posiblemente se resistirán a la solicitud de adquirir una herramienta diferente para el mismo objetivo (por ejemplo, gestionar documentos y certificaciones), al menos los que operan dentro de la UE. Aunque la alfabetización digital varía entre los Estados miembros, las soluciones de cartera EUDI de cada Estado miembro deben desarrollarse de forma coherente siguiendo los mismos estándares y requisitos de interoperabilidad. A gran escala, aumentará la perspicacia tecnológica de los ciudadanos y residentes de la UE. Es probable que algunos usuarios/clientes potenciales se queden atrás en la adopción del uso de la Cartera, pero esto no debería frenar el impulso para que las empresas aprovechen al máximo. A pesar de la posibilidad de que las empresas internacionales ya tengan diferentes herramientas para utilizar fuera de la UE, es plausible que "suban al arca" más allá de lo que se les exige para operar dentro de la UE.[33] Este efecto, si la cartera EUDI tiene éxito, podría conducir a un cambio más rápido del uso de carteras privadas (por ejemplo, Apple Pay, Google Pay) al uso general basado en sistemas de autenticación públicos. Por lo tanto, una posibilidad real de uso universal para una cartera fácil de usar podría ayudar a reducir el papel de los grandes actores privados y las plataformas en línea como "guardianes" del acceso a los servicios y sitios web en línea.[34] Una vez que aprendamos a usar hábilmente nuestras billeteras EUDI desde nuestras computadoras y teléfonos para autenticarnos en un sitio web, con la confianza de que nos protegerá de los riesgos de capacidad post-cuántica, nuestro incentivo para autenticarnos a través de cuentas de Google, Apple o Facebook probablemente disminuirá.[35]

Todas las billeteras EUDI se ajustarán uniformemente a las mismas especificaciones tecnológicas de diseño, funcionalidad, accesibilidad y seguridad.[36] Además, se espera una adopción amplia y relativamente rápida del sistema EUDI Wallet, y si mantiene las promesas de funcionalidad, facilidad de uso y seguridad en el cambiante mundo tecnológico, el enfoque de EUDI Wallet podría convertirse en un punto de referencia para la transición a la capacidad post-cuántica; esta es su clave para convertirse en el buque insignia que lleve a la UE a través de la brecha de la PKI actual a la criptografía post-cuántica.

El 11 de abril de 2024, la Comisión publicó su "Recomendación sobre una hoja de ruta de implementación coordinada para la transición a la criptografía post-cuántica".[37] Por muy lejanas que estén las capacidades cuánticas, dado el actual llamamiento a la acción de la Recomendación, el debate sobre la oportunidad parece haberse ganado. La Comisión pide a los Estados miembros que definan una «hoja de ruta de implementación coordinada de la criptografía post-cuántica» destinada a sincronizar los esfuerzos para diseñar e implementar planes nacionales de transición, garantizando al mismo tiempo la interoperabilidad transfronteriza. Curiosamente, ni el eIDAS 2 ni el EUDI Wallet se mencionan en ningún momento de la Recomendación.

La Recomendación alienta a los Estados miembros a coordinar sus esfuerzos en un foro en el que deberían alinearse con los requisitos estructurales ya establecidos para un Grupo de Cooperación de la SRI, formando un subgrupo dedicado a la criptografía poscuántica que debería colaborar con otros organismos pertinentes para minimizar la duplicación de esfuerzos y garantizar un enfoque cohesivo para este desafío de la transición a la preparación cuántica. Una vez que el Grupo de Cooperación de la SRI se centre en los perfiles de ciberseguridad, puede llevar a muchos actores a percibir las amenazas de la capacidad poscuántica *solo* como un problema de ciberseguridad. A su vez, esto puede tener la consecuencia de subestimar la posible amenaza existencial a la validez y fiabilidad de las transacciones electrónicas y a los fundamentos básicos tanto de un sistema de confianza pública para la validez de los documentos como de la seguridad de la autenticación para el mercado en su totalidad. Sostenemos que enfatizar adecuadamente el papel potencial de la Cartera EUDI como un "arca" para la transición a la capacidad post-cuántica señalaría su importancia para abordar cualquier problema de ciberseguridad dentro del mecanismo del marco NIS2, dejando en claro el posible papel más impactante de la Cartera EUDI para sortear los peligros de la capacidad cuántica: puede convertirse en un activo económico clave que se pueda aprovechar de manera sistémica.[38]

Estas hojas de ruta de implementación deberían estar disponibles en 2026 y luego se procederá al "desarrollo y adaptación de los planes de transición a la criptografía post-cuántica de cada uno de los Estados miembros". Los representantes de los Estados miembros volverán con actualizaciones a la Comisión para que la CE pueda considerar acciones o legislación adicionales cuando sea necesario.[39]

¿Será que la fecha de presentación de las hojas de ruta de implementación (en 2026) y la respuesta final de la Comisión se encuentran demasiado lejos del lanzamiento público de la Cartera en 2026 para que resulten de utilidad óptima? Estas hojas de ruta de implementación para los planes de transición individuales deben presentarse esencialmente al mismo tiempo que Europa debería tener las Carteras en funcionamiento. Más adelante se ilustrará un desfase temporal similar con referencia a la disponibilidad *real* de soluciones de transición que podrían parecer demasiado cercanas al momento en que ya *deberían estar* en uso.

La Comisión ha declarado la necesidad de una transición y una adaptación a la criptografía poscuántica en toda la UE. eIDAS 2 es tecnológicamente neutral, y el Monedero de la UE y el conjunto de herramientas que lo acompaña ya están en marcha para realizar pruebas piloto y de prototipos. Para ser más precisos, la Recomendación pide a los Estados miembros que consideren la posibilidad de migrar sus actuales infraestructuras y servicios digitales para las administraciones públicas y otras infraestructuras críticas a la criptografía poscuántica lo antes posible. Esta Recomendación respalda nuestro argumento de que es el momento adecuado para que el Monedero se convierta en el buque insignia para los particulares y las empresas. Si lo aprovechan como un viento en contra, las empresas pueden aprovechar la formación pública sobre el uso del Monedero en una transición obligatoria de las administraciones públicas a soluciones seguras para la computación cuántica.

En este contexto, cabría preguntarse si este es el mejor vehículo de transición para la Cartera EUDI, proporcionando especificaciones en su conjunto de herramientas de modo que el desarrollo de la Cartera esté idealmente preparado para la era post-cuántica antes, en lugar de esperar a que los Estados miembros adopten medidas (potencialmente divergentes). Por ello, en nuestra opinión, la inclusión de algoritmos seguros para la era cuántica en la Cartera permitiría a los Estados miembros comenzar de inmediato con las mismas especificaciones. Por ello, siguiendo el esquema descrito para el EUDIW[207], la derivación criptográfica en formato ZKP de las credenciales o datos de identificación personal contenidos en el mismo podría entenderse bajo el concepto de servicio de confianza, que hace referencia a un mercado regulado de generación de evidencia electrónica. Un servicio de generación de ZKP gozaría, por tanto, de efectos jurídicos como la integridad, certeza y presunción de no repudio de la ZKP cuando es emitida por un servicio de confianza cualificado.

El desarrollo de un nuevo servicio de confianza en eIDAS 2.0, centrado en la emisión de pruebas de conocimiento cero para la atestación electrónica de atributos o datos de identificación de la Cartera de

---

207 RAMOS FERNÁNDEZ, R., "Evaluation of trust service and software product regimes for zero-knowledge proof development under eIDAS 2.0", *Computer Law & Security Review,* Volume 53, July 2024.

Identidad Digital Europea, requeriría que un proveedor de servicios ofreciera a los usuarios una infraestructura tecnológica, ya sea en la nube o mediante software conectado a los servidores del proveedor. Esta infraestructura permitiría la creación y emisión de una prueba de existencia dentro de un entorno monitorizado, manteniendo al mismo tiempo un registro de las pruebas emitidas. Este enfoque refleja fielmente el modelo del proyecto ARIES analizado en un trabajo relacionado.

Los servicios de confianza son fiables porque están legalmente exigidos y sus proveedores deben cumplir requisitos específicos. De esta manera, el consumidor de servicios de confianza está protegido por una estructura de responsabilidad que hace que estos proveedores de servicios respondan de sus acciones. La razón de ser de los controles *ex ante* en el caso de servicios cualificados y de los controles *ex post* en el caso de servicios no cualificados viene determinada por el valor probatorio de estos servicios y los efectos jurídicamente vinculantes que se les otorgan. El interés público en la seguridad jurídica, la tutela judicial efectiva y la presunción de inocencia como principios fundamentales de la UE justifican todos estos controles. No obstante, un modelo de este tipo es interesante por los efectos jurídicos asociados a los servicios de confianza. Esto añade una capa extra de protección contra cualquier intento de manipulación o fraude, ya que el proveedor de servicios de confianza sería el que generaría la ZKP después de validar la identidad del usuario y los datos a procesar. De esta manera, un servicio cualificado de generación de ZKP proporcionaría integridad y no repudio al verificar el correcto procesamiento de los datos utilizados para generar la prueba.

Desde un punto de vista técnico, ZKP como actividad es el modelo tradicional de "Software como Servicio" (SaaS), donde un proveedor pone su experiencia, recursos e infraestructura a disposición de un cliente a cambio de una tarifa.[49]En lugar de comprar software, el cliente alquila un servicio, que es básicamente el derecho a utilizar el software. Al otorgarle al usuario una licencia en base a una suscripción, el proveedor mantiene el sistema, crea copias de seguridad y garantiza que el software funcione correctamente. Si bien este enfoque es preferible al modelo de software como producto (SaaS) en muchas áreas porque el proveedor siempre controla el sistema con sus medidas de seguridad, tiene un inconveniente importante: un alto grado de dependencia del proveedor.

SaaS generalmente se refiere a un modelo de entrega de software a pedido que sea parte del fenómeno de la computación en la nube[208]. Proporciona acceso

---

[208] RAMOS FERNÁNDEZ, R., "Evaluation of trust service and software product regimes for zero-knowledge

en red a una colección de recursos informáticos personalizables que pueden entregarse con una gestión y un compromiso mínimos por parte del proveedor del servicio. En otras palabras, SaaS es la capacidad del usuario de utilizar las aplicaciones del proveedor que se ejecutan en una arquitectura de nube. Permite el acceso al servicio desde cualquier dispositivo, libera al usuario de las limitaciones de mantener sus datos en un solo dispositivo y ofrece una gran escalabilidad al no requerir el costoso hardware y los requisitos de seguridad de los dispositivos físicos, como los teléfonos inteligentes, para acceder al servicio. También es posible analizar qué usuarios inician sesión en las aplicaciones, con qué frecuencia y en qué módulos, lo que permite la creación de registros de acceso como requisito de seguridad.

En cuanto al régimen de responsabilidad y supervisión aplicable a un servicio de confianza por la creación de un ZKP, éste sería el recogido en los apartados 1 y 2 del Capítulo III del Reglamento eIDAS. Por el contrario, el apartado 3 contiene disposiciones específicas para los servicios de confianza cualificados, entre las que se incluyen los estándares que deben cumplir los productos y sistemas en los que los prestadores

---

proof development under eIDAS 2.0", *Computer Law & Security Review*, Volume 53, July 2024.

de servicios de confianza quieran confiar. Por tanto, deben cumplirse varios estándares horizontales en materia de calidad, ciberseguridad y requisitos de certificación cuando se hace referencia al software como producto sin cambiar la naturaleza del servicio ni la plena aplicación del Reglamento eIDAS.

Dado que los servicios de confianza son los definidos como tales en el eIDAS, la emisión de un ZKP según este punto de vista debe definirse explícitamente en el Reglamento. Además, habría que añadir disposiciones adicionales para cada servicio de confianza que determinen si una prueba de existencia puede vincularse a él, por ejemplo, para los EAA y los libros electrónicos. También sería necesario especificar para la parte EUDIW que el servicio de confianza que emite el ZKP puede utilizarse para los datos de identidad asociados a él. De esta manera, solo los servicios cualificados podrían beneficiarse de la presunción de que los datos originales son equivalentes a su prueba de existencia. También deberían especificarse las normas técnicas, las reglas de aplicación y los requisitos criptográficos que debe tener en cuenta el proveedor de servicios al emitir la prueba. Esto puede hacerse mediante actos de ejecución o un mandato para los organismos europeos de normalización, ETSI, ESI, CEN y CENELEC. Sin embargo, la regulación de la actividad solo introduce a terceros, lo que frustra el objetivo de la desintermediación y el control del usuario sobre su identidad digital.

De acuerdo con este esquema, solo los proveedores de servicios de confianza cualificados estarían autorizados a emitir un ZKP. De esta forma, el régimen de responsabilidad y obligaciones técnicas de los proveedores de servicios de confianza sería el actual, sin necesidad de cambios adicionales. De esta forma, el enfoque de servicio es el que tiene el menor impacto en el eIDAS 2.0 aprobado, lo que supone aprovechar el marco establecido desde el eIDAS 2014. Por lo tanto, para desarrollar la creación, emisión y validación de ZKP como servicio de confianza, se debería añadir una nueva Sección 11 al Capítulo III del eIDAS.

Capítulo III

Reconocimiento jurídico transfronterizo de la identidad electrónica

I. INTRODUCCIÓN

Como hemos dicho, el Reglamento recoge el principio de neutralidad tecnológica, pero da especial importancia a un tipo de firma, la firma electrónica cualificad; haciendo girar la equivalencia formal de los instrumentos en su seguridad; es decir, en su fuerza vinculante y probatoria, situando este principio en un plano superior al del principio de neutralidad tecnológica.

De esta forma, se deduce que el efecto típico de la firma electrónica avanzada no es otro que el de crear una vinculación segura entre el firmante y el mensaje de datos y la de proteger el mensaje, pero sin que, en ningún caso, pueda equipararse esta firma a una firma manuscrita. No obstante, a las firmas electrónicas simples y avanzadas no se les negarán efectos, o lo que es lo mismo, deben tener efectos jurídicos, pero si se podrán negar efectos si no pueden considerarse suficientemente seguras o si no permiten establecer un vínculo, suficientemente, fiable entre firmante y mensaje firmado[209]. Aunque, es obvio que las causas, por las que se le pueden negar efectos a la firma electrónica avanzada, son inferiores a las casusas de la firma electrónica simple.

Al mismo tiempo, la firma electrónica cualificada, que se crea mediante un dispositivo cualificado de creación de firmas electrónicas y que se basa en un certificado cualificado de firma electrónica, que equivale a la firma manuscrita. Como puede observase, podría considerarse como un subtipo de la firma electrónica avanzada, caracterizada por un refuerzo de los requisitos de la firma electrónica avanzada; pues, se basa en un tipo especial de certificado y necesita que la firma electrónica avanzada haya sido creada empleando por un dispositivo cualificado de creación de firma electrónica, cuyos requisitos están establecidos en el anexo II. De esta manera, podríamos decir que aparecen dos visiones diferentes de lo que debe ser la firma electrónica como equivalente de la firma

---

209 ALAMILLO DOMINGO, I.; URIOS APARASI, X., "Comentario crítico de la Ley 53/2003, de 19 de diciembre, de firma electrónica", *Revista de la Contratación Electrónica*, núm. 46, febrero, 2004, pp. 3–64.

manuscrita; o sea, las cualificadas y las demás, atribuyendo a las primeras unos efectos diferenciados: por un lado, parten del hecho de que cumplen la misma función autenticadora que la firma manuscrita; por otro, las firmas electrónicas no cualificadas, que pueden plantear problemas y restricciones jurídicas, técnicas y organizativas.

De hecho, a través del artículo 25, como hemos dicho se establece la obligación explicita de otorgar a las firmas electrónicas cualificadas, los mismos efectos que a las firmas manuscritas. Además, los Estados miembros deberán garantizar la aceptación transfronteriza de las firmas electrónicas cualificadas, en el contexto de la prestación de servicios y no deben introducir requisitos adicionales que puedan crear obstáculos a la utilización de tales firmas[210]. Se trata de lograr la interoperabilidad, sin requerir una infraestructura nueva de comunicación, a través de los puentes ya existentes[211].

---

210 COMISIÓN EUROPEA, *Exposición de motivos de la Propuesta de Reglamento del Parlamento Europeo y del Consejo relativo a la identificación electrónica y de servicios de confianza para las transacciones electrónicas en el mercado interior*, Bruselas, 4 de junio de 2012, COM (2012) 238 final.

211 TAUBER, A., "Cross border certified electronic mailing: A European perspective" *Computer & Law & Security Review*, Vol. 29, núm.1, febrero, 2013, pp. 28 – 39.

Este empeño regulatorio exclusivo de las firmas electrónicas cualificadas, a pesar de que no siempre son necesarias en la práctica, se debe, según la Comisión Europea, a que ayudan a la gestión de la interoperabilidad y evitan el riesgo que existe en las tecnologías utilizadas en el uso de las firmas electrónicas, que, además, se entiende que está estandarizada[212]. Sin embargo, el Considerando 50 considera preciso velar, porque los Estados miembros puedan soportar, técnicamente, al menos, una serie de formatos de firma electrónica avanzada, cuando reciban documentos firmados electrónicamente.

Precisamente, el Artículo 27,1 nos dice que cuando se requiere una firma electrónica avanzada con el fin de utilizar un servicio en línea ofrecido por un organismo del sector público, o en nombre de este, dicho Estado miembro reconocerá las firmas electrónicas avanzadas, las firmas electrónicas avanzadas basadas en un certificado cualificado y las firmas electrónicas cualificadas por lo menos en los formatos o con los métodos definidos por la Comisión, mediante actos de ejecución. Se trata de reconocer formatos de firma electrónica avanzada con un nivel de garantía

---

212 SEALED, DLA PIPER AND ACROSS COMMUNICATIONS, *Study on the standardisation aspects of eSignature*, Comisión Europea, Bruselas, 2020.

de seguridad inferior al de la firma electrónica cualificada, en particular, cuando un Estado miembro, en relación con el acceso a un servicio en línea, utilice este formato de firma en el sector público con arreglo a su Derecho nacional, lo que debe entenderse como una cláusula de salvaguarda respecto a las firmas electrónicas avanzadas.

En sustento de estos efectos jurídicos, el Reglamento eIDAS (y la ley nacional que lo completa en cada Estado miembro) regula las exigencias de los servicios de confianza y cómo debe ejercerse la actividad de los prestadores que los ofrecen, partiendo siempre de la base de que la prestación de servicios de confianza es una actividad económica, ofrecida indistintamente por operadores privados o públicos, resultan aplicable la normativa de contratación del sector público.

Lo anterior parte de una orientación de privatización de determinadas actividades de seguridad informática, en soporte a la prueba electrónica de la actuación, que resulta muy notable, y que se contrapesa mediante un sistema de control, que resulta justificado por trascender de la esfera de intereses privados de los particulares, en especial en presencia de una parte débil, y también en atención al reconocimiento transfronterizo que se desea para dichos servicios.

Si no hay reconocimiento de los certificados o firmas, el papel de éstos queda seriamente afectada[213]. Además de tratar los temas legales de reconocimiento transfronterizo, la autoridad certificadora, también debe hacer frente a las consideraciones técnicas, como la compatibilidad de software y procedimientos viables para aceptar y evaluar los certificados emitidos por otras autoridades de certificación[214].

El origen es un factor clásico dentro del marco del Derecho Internacional, es la base del criterio de reciprocidad; es decir, con él se le da valor jurídico a una firma electrónica en el ámbito de un país determinado, siempre que otro país le dé el mismo valor a las de aquél[215]. Este reconocimiento nos lleva a otro problema: la cuestión de la responsabilidad, que pueda corresponder a cada una de las partes interesadas, en el funcionamiento de los sistemas de creación de firmas electrónicas; pues, las legislaciones nacionales fijan

---

213 SRIVASTAVA, A., "Electronic signatures and security issues: An empirical study", *Computer Law & Security Review*, septiembre, 2009, vol. 25, núm.5, pp. 432 – 446.

214 MASON, S., "Electronic Signatures–Evidence: the evidential issues relating to electronic signatures", *Computer Law & Security Review*, mayo, 2002, vol. 18, núm. 3, pp. 175 – 180.

215 UNCITRAL, *Fomento de la confianza en el comercio electrónico: cuestiones jurídicas de la utilización internacional de métodos de autenticación y firma electrónica*, Viena, 2009.

diferentes criterios para evaluar las distintas formas de actuar y, además, establecen regímenes de conducta y los requisitos del certificado. Como es lógico, si se incumplen las pautas de conducta establecidas, se incurre en responsabilidad.

Nos encontramos en un momento crucial en el que, si bien es relativamente sencillo definir un equivalente jurídico al concepto unitario de firma, eso no significa necesariamente que se pueda proceder de igual modo en lo que respecta a los diversos criterios jurídicos aplicables a la identificación. Además, debe tenerse en cuenta la importancia de la diferenciación, en el contexto electrónico que manifestamos, en el que una entidad pública puede ser considerada responsable cuando actúa como proveedora de servicios[216], lo que puede suponer un problema para el reconocimiento.

Sin ceñirnos a la responsabilidad, pero si al reconocimiento, en el marco de este trabajo nos centraremos en el Reglamento eIDAS, ya que en la actualidad es el único marco normativo vigente que centra esta cuestión, y que está sirviendo de herramienta a la CNUDMI/UNCITRAL en el desarrollo de Proyecto

---

216 UNCITRAL, *Informe del Grupo de Trabajo IV (Comercio Electrónico) sobre la labor realizada en su 57° período de sesiones*, Viena, 2019, p. 6.

de disposiciones sobre el reconocimiento transfronterizo de sistemas de gestión de la identidad y servicios de confianza.

en este contexto se aprecia un posible reconocimiento ex ante y ex post. Este tipo de reconocimiento se observaba en la derogada Directiva sobre firma electrónica. La Directiva ofrecía dos visiones diferentes de lo que debe ser la firma electrónica como equivalente de la firma manuscrita, al establecer una distinción entre las firmas reconocidas y las demás, atribuyendo a las primeras unos efectos diferenciados[217]. Las primeras partían del hecho de que cumplen la misma función autenticadora que la firma manuscrita; por otro, las no reconocidas, planteaban problemas y restricciones jurídicas, técnicas y organizativas. Este estatus llevó a algunos Estados miembros a crear un grado discriminatorio en el reconocimiento legal de las firmas electrónicas a las que no satisfacían los requisitos de las firmas electrónicas reconocidas (artículo 5,1 de la Directiva). Las otras dependían de que se llegara o no a probar la fiabilidad y/o la seguridad del sistema de firma electrónica utilizado.

De esta forma, las firmas electrónicas, contempladas en el artículo 5,1, eran siempre equiparadas a las

---

[217] MIGUEL ASESIO, P. A., *Derecho Privado de Internet,* Ed. Aranzadi, 2023, pp. 77 y 78.

firmas manuscritas, cuyo juicio se ha realizado *ex ante* por el legislador. Por el contrario, la eficacia de las restantes firmas estará sometidas a un juicio *ex post*[218], que habrán de realizar los propios Tribunales a la espera de determinar, si son suficientemente fiables atendidas las circunstancias y si garantizan la autenticidad e integridad del mensaje de datos o documento electrónico[219].

II. RECONOCIMIENTO A TRAVÉS DE UN MARCO COMPARATIVO

Este tipo de reconocimiento es el adoptado con el Reglamento eIDAS y, en principio, se mantendrá con su futura modificación. Se desarrolla a través del Reglamento de Ejecución (UE) 2015/1502 de la Comisión, de 8 de septiembre de 2015, sobre la fijación de especificaciones y procedimientos técnicos mínimos para los niveles de seguridad de medios de identificación electrónica con arreglo a lo dispuesto en el artículo 8, apartado 3, del Reglamento 910/2014 del

---

218 DÍAZ MORENO, A., "Concepto y eficacia de la firma electrónica en la Directiva 1999/93/CE, de 13 de diciembre de 1999, por la que se establece un marco comunitario para la firma electrónica", *Revista de la Contratación Electrónica,* núm. 2, febrero, 2000, p. 45 y 46.

219 CRUZ RIVERO, D., *Eficacia Formal y Probatoria de la Firma Electrónica,* Ed. Marcial Pons, Madrid, 2006, p. 188.

Parlamento Europeo y del Consejo, relativo a la identificación electrónica y los servicios de confianza para las transacciones electrónicas en el mercado interior teniendo en cuenta las normas internacionales pertinentes, las especificaciones técnicas mínimas, para la determinación de un marco que desarrolle niveles de seguridad vinculados a la gestión de la identidad, que se fijan en tres: bajo, sustancial, y alto.

Estos niveles de seguridad se describen de acuerdo con especificaciones técnicas, normas y procedimientos conexos (tal y como puede observarse en el anexo). De esta forma, puede decirse que se crea un mecanismo de cooperación, así como un marco de interoperabilidad, para definir los criterios de seguridad para intercambiar la información relativa a los medios de identificación electrónica y sus respectivos niveles de seguridad, consagrando así el principio de reconocimiento mutuo para los medios de identificación que tuvieran un nivel de garantía equivalente, a partir del nivel de garantía suficiente o superior.

Este Reglamento de Ejecución usa enfoque basado en los resultados[220], lo que se refleja en las definiciones

---

220 UNCITRAL, *Cuestiones jurídicas relacionadas con la gestión de la identidad y los servicios de confianza Propuesta presentada por el Reino Unido de Gran Bretaña e Irlanda del Norte*, Nueva York, 24 a 28 de abril de 2017, p. 3.

que se utilizan para especificar los términos y conceptos, teniendo en cuenta el objetivo del Reglamento 910/2014 en relación con los niveles de seguridad de los medios de identificación electrónica. Este enfoque, basado en los resultados, hace más fácil llegar a un acuerdo sobre la garantía necesaria y mantener la neutralidad tecnológica. Si el nivel de garantía determina exactamente qué solución ha de aplicarse, se genera la obligación de adoptar un proceso o una tecnología concretos, lo que desalienta la innovación, impide la evolución y obliga a descartar otras soluciones que ofrecerían los mismos niveles de garantía.

Con estos niveles de seguridad se pretende describir, de acuerdo con especificaciones técnicas, normas y procedimientos conexos, para los niveles de seguridad bajo, sustancial y alto entendidos, en el sentido descrito en el Reglamento, en particular con respecto al nivel de seguridad alto en relación con la acreditación de identidad para la expedición de certificados cualificados. Los requisitos que se establezcan deberán ser tecnológicamente neutros[221], si bien resultan inevitables los requisitos técnicos derivados de las especificaciones intrínsecas de los medios de identificación electrónica nacionales.

---

[221] Considerando 16, *in fine* del Reglamento eIDAS.

No obstante, se trata de prever un mecanismo de cooperación y un marco de interoperabilidad técnica, para definir los criterios en que se basan los niveles de garantía, así como para intercambiar la información relativa a los medios de identificación electrónica y sus respectivos niveles de garantía. De esta forma, se consagra el principio de reconocimiento mutuo transfronterizo para los medios de identificación que tuvieran un nivel de garantía equivalente (a partir del nivel de garantía suficiente) o superior. Asimismo, en el nivel de seguridad más bajo, se podría establecer la presunción de que se han respetado los criterios objetivos que definen los niveles de fiabilidad y se han cumplido los requisitos legales si el proveedor se ajusta a las normas técnicas determinadas por una autoridad internacional; por otro lado, los de mayor nivel de fiabilidad deben, por lo menos, estar vinculados a datos de identificación personal emitidos o administrados por una fuente fidedigna.

En definitiva, si se observa el Reglamento de Ejecución, en su Anexo, estamos ante un enfoque, basado en los resultados, que establece el objetivo que debe alcanzarse para lograr los diferentes niveles descritos en relación los distintos elementos del sistema de e-Identificación. Cuanto más riguroso s sean el objetivo, los controles o el proceso, mayor será el nivel de confianza y, por tanto, el nivel de garantía[222]. La forma de lograr el objetivo la determinaran los administradores del sistema de cada Estado. Esto no significa que los Estados deban modificar sus sistemas nacionales de identificación, sino que es una forma de medir la equivalencia, comparándolo con un indicador de referencia.

III. RECONOCIMIENTO INTERNACIONAL EXPRESAMENTE PREVISTO

Este tipo de reconocimiento tiene su origen el artículo 12 de la Ley Modelo sobre firma electrónica que pretende el Reconocimiento de certificados extranjeros y de firmas electrónicas extranjeras a través de los principios de no discriminación y a la fiabilidad, de que se hicieron eco todos los Estados, pero usado de manera restrictiva.

Como puede observarse, se trata de establecer una serie de requisitos que debe reunir un sistema para ser incluido en esa lista. Este método requiere en cumplimiento de los aspectos normativos establecidos y fijados,

---

222 UNCITRAL, *Cuestiones jurídicas relacionadas con la gestión de la identidad y los servicios de confianza Propuesta presentada por el Reino Unido de Gran Bretaña e Irlanda del Norte*, Nueva York, 24 a 28 de abril de 2017, p. 4.

en la mayoría de los casos de manera restrictiva en la norma, que valen también para los prestadores de servicios, concretamente establecidos en un tercer país serán reconocidos como legalmente equivalentes.

En la Directiva sobre firma electrónica se recogía en el artículo 7. El Reglamento eIDAS restringió el reconocimiento en su artículo 14, que si compara con la propuesta de modificación cambia a un modelo más amplio, si bien se recogía que "los servicios de confianza cualificados prestados por prestadores cualificados de servicios de confianza establecidos en la Unión si los servicios de confianza originarios del tercer país son reconocidos en virtud de un acuerdo celebrado entre la Unión y el tercer país en cuestión u organizaciones internacionales", la propuesta de ejecución maneja la posibilidad de que sea la Comisión la que pueda adoptar actos de ejecución, de conformidad con el artículo 48,2, para definir las condiciones en las que los requisitos de un tercer país aplicables a los prestadores de servicios de confianza establecidos en su territorio y a los servicios de confianza que prestan pueden considerarse equivalentes a los requisitos aplicables a los prestadores cualificados de servicios de confianza establecidos en la Unión y a los servicios de confianza cualificados que prestan o haya celebrado un acuerdo internacional sobre el reconocimiento mutuo de servicios de confianza.

Por otro lado, debe tenerse en cuenta que ante la posibilidad de que, a consecuencia de una prestación defectuosa del servicio de certificación, pudieran provocarse daños, bien a quienes hayan contratado dichos servicios o bien a terceros que se vean afectados por los mismos, siendo posible encontrar una serie de mecanismos, que establezcan los cauces apropiados, para permitir la reparación de los daños causados a las víctimas, estableciéndose como obligación del causante de dichos daños, reparar los mismos. De esta forma, se plantea una triple disyuntiva: la responsabilidad objetiva o subjetiva, la responsabilidad contractual o extracontractual y la responsabilidad limitada o ilimitada[223].

En nuestra Ley, como puede observarse, la responsabilidad de los prestadores de servicios de confianza se determina, sin realizar una enumeración de las obligaciones y deberes de las partes; aunque, es posible hallarla a través del Artículo 11 ("Limitaciones de responsabilidad de los prestadores de servicios electrónicos de confianza"), donde se recogen supuestos de exoneración de responsabilidad de los

---

223 LAFUENTE SUÁREZ, M., "La Ley de firma electrónica y la responsabilidad civil de los prestadores de servicios de certificación", *Revista Aranzadi de Derecho y Nuevas Tecnologías*, 2007, núm. 13-1.

prestadores[224]. Por ello, la responsabilidad, en principio, es de carácter subjetivo, en materia contractual y extracontractual, por culpa o negligencia y, por tanto, no objetiva.

Ahora bien, el enfoque de responsabilidad adoptado combina una variante a la responsabilidad objetiva del prestador de servicios de ciertos actos o declaraciones falsas con un sistema que permite al prestador de servicios limitar su responsabilidad, en determinadas circunstancias. Por un lado, con la inversión de la carga de la prueba, por la inexactitud de la información consignada en el certificado o falta de cumplimiento de los requisitos para la emisión del certificado (artículo 13 del Reglamento):

1. La carga de la prueba de la intencionalidad o la negligencia de un prestador no cualificado de servicios de confianza corresponderá a la persona física o jurídica que alegue los perjuicios causados de forma deliberada o por negligencia.

2. Se presumirá la intencionalidad o la negligencia de un prestador cualificado de servicios de confianza, salvo cuando ese prestador cualificado de servicios de confianza demuestre que los perjuicios se produjeron sin intención ni

---

224 MARTÍNEZ NADAL, A., *Comentarios a la Ley 53/2003, de Firma Electrónica*, Civitas, Madrid, 2009, pp. 125.

> negligencia por su parte y completa nuestra Ley que "Se entenderá que el destinatario actúa de forma negligente cuando no tenga en cuenta la suspensión o pérdida de vigencia del certificado electrónico, o cuando no verifique la firma o sello electrónico" (artículo 11,2 y puede verse también el 11,1-c)

En este contexto observemos, obviados otros supuestos de responsabilidad derivados de la revocación, la responsabilidad por posibles utilizaciones ilegítimas de la firma, desde el momento de la pérdida de ésta hasta la suspensión o la revocación del certificado correspondiente. A falta de criterio legal expreso, como ocurre en el caso de pérdida de tarjetas de crédito y la clave correspondiente, acabará asumiendo esta responsabilidad el titular del certificado; pero en ambos casos sería deseable la existencia de límites a tal responsabilidad, especialmente rigurosa, pues puede llegar a ser objetiva, independientemente de la diligencia o negligencia del titular en la custodia.

En el tráfico contractual, el importante volumen de las operaciones, y las especiales características de los medios empleados, esta opción también encuentra la dificultad de que, a veces, se llegaría a la imposibilidad de acreditación de la diligencia debida; es decir, a una prueba negativa o auténtica *probatio diabólica*, y supondría, en la práctica, la imposición de una responsabilidad objetiva e ilimitada; pues, siempre va a ser más fácil demostrar que no se ha actuado con negligencia, en la medida en que se pruebe que se ha actuado con un mínimo de diligencia, que probar que se ha actuado con la diligencia, que cabría esperar del prestador[225].

Dicho lo anterior, debemos tener presente que es el prestador de servicios expide certificados electrónicos. En palabras del Prof. Plaza Penadés, "son los documentos que relacionan las herramientas de firma electrónica en poder de cada usuario con identidad personal, dándole así, a conocer en el ámbito telemático, como firmante"[226]. La figura del prestador de servicios se crea para garantizar la identidad del emisor del mensaje de datos, asumiendo la responsabilidad de dicha verificación, dotando al sistema de seguridad y confianza para los usuarios[227] (Véase el artículo 24 en

---

225 ERDOZÁIN LÓPEZ, J. C., "Firma electrónica, aspectos procesales, valor probatorio modelos de responsabilidad de los prestadores de servicios de certificación", *Revista Aranzadi Civil*, abril, 2013, pp. 55-85.

226 PLAZA PENADÉS, J., "La firma electrónica y su regulación en el derecho español" en PLAZA PENADÉS, J., *Contratación y comercio electrónico*, Tirant lo Blach, Valencia, 2003, pp. 540-584.

227 PAREJO NAVAJAS, T., "Análisis de las figuras esenciales del régimen jurídico de la firma electrónica: la Ley

relación a los requisitos para los prestadores cualificados de servicios de confianza y el Anexo I).

En este contexto, debe tenerse en cuenta que el Reglamento establece la responsabilidad del Estado miembro que efectúa la notificación, de la parte que expide los medios de identificación electrónica y de la parte que realiza el procedimiento de autenticación en caso de incumplimiento de las obligaciones pertinentes dispuestas en el mismo. No obstante, el Reglamento debe aplicarse en consonancia con las normas nacionales sobre responsabilidad. Por lo tanto, no afectará a dichas normas nacionales, por ejemplo, sobre la definición de daños y perjuicios o sobre las normas de procedimiento aplicables, incluida la carga de la prueba.

Asimismo, todos los prestadores de servicios de confianza deben estar sometidos a los requisitos del Reglamento, en particular en materia de seguridad y responsabilidad, para garantizar la debida diligencia, la transparencia y la rendición de cuentas en relación con sus operaciones y servicios. En este sentido, obsérvese que el artículo 9,1 de la LSC cumple con ello al indicar que los prestadores de servicios electrónicos de confianza deberán: "a) Publicar información veraz

---

59/2003, 19 de diciembre, de firma electrónica", *Revista Electrónica de la Contratación*, núm. 70, 2006, pág. 3–32.

y acorde con esta Ley y el Reglamento (UE) 910/2014 y no almacenar ni copiar, por sí o a través de un tercero, los datos de creación de firma, sello o autenticación de sitio web de la persona física o jurídica a la que hayan prestado sus servicios, salvo en caso de su gestión en nombre del titular".

En este caso, del apartado 1-b) del artículo 9, se dice que "utilizarán sistemas y productos fiables, incluidos canales de comunicación electrónica seguros, y se aplicarán procedimientos y mecanismos técnicos y organizativos adecuados, para garantizar que el entorno sea fiable y se utilice bajo el control exclusivo del titular del certificado". Con ello, se trata de asegurar que el firmante está en posesión de los datos de creación de firma, correspondientes a los de verificación que obran en el certificado; y, además, garantizar la complementariedad de los datos de creación y verificación de firma, siempre que ambos sean generados por el prestador de servicios de certificación.

Asimismo, se pretende contar y garantizar la fiabilidad necesaria para prestar los servicios de confianza; garantizar que pueda determinarse con precisión la fecha y la hora en la que se expidió el certificado o se extinguió o suspendió la vigencia; emplear personal con cualificación, conocimientos y experiencia necesaria para la prestación de los servicios de certificación ofrecidos y los procedimientos de seguridad y de gestión adecuados, en el ámbito de la firma electrónica; utilizar sistemas y productos fiables que estén protegidos contra toda alteración y que garanticen la seguridad técnica y, en su caso, criptográfica de los procesos de certificación a los que sirve el soporte; tomar medidas contra la falsificación de certificados y, en el caso de que el prestador de servicios de certificación genere datos de creación de firma, garantizar su confidencialidad durante el proceso de generación y su entrega por un procedimiento seguro al firmante; conservar registrada por cualquier medio seguro, toda la información y documentación relativa a un certificado reconocido y las declaraciones de prácticas de certificación vigentes en cada momento, al menos durante quince años, contados desde el momento de su expedición, de manera que puedan verificarse las firmas efectuadas con el mismo; y, utilizar sistemas fiables para almacenar certificados reconocidos, que permitan comprobar su autenticidad e impedir que, personas no autorizadas, alteren los datos, restrinjan su accesibilidad en los supuestos o a las personas que el firmante haya indicado y permitan detectar cualquier cambio que afecte a estas condiciones.

No obstante, teniendo en cuenta el tipo de servicios prestados por los prestadores de servicios de confianza, es conveniente distinguir, en la medida en que se refiere a estos requisitos, entre prestadores cualificados y no cualificados de servicios de confianza"[228]. Así, las obligaciones, para el prestador de servicios de confianza cualificados, que emita un certificado cualificado, deberá cumplir las obligaciones especiales recogidas en los Artículos 7 y 10 (actuaciones de comprobación de identidad previas a la expedición de un certificado cualificado y otras circunstancias de los solicitantes de un certificado cualificado.) con carácter previo, y el Artículo 9, en orden a la comprobación la fiabilidad y las garantías de los servicios de certificación que prestan.

A lo dicho, hay que añadir otra obligación, dispuesta en el apartado segundo del Artículo 9,3 la obligación de disponer de recursos para afrontar el riesgo de responsabilidad civil. Concretamente se establece

---

228 Artículo 13: "los prestadores de servicios de confianza serán responsables de los perjuicios causados de forma deliberada o por negligencia a cualquier persona física o jurídica en razón del incumplimiento de las obligaciones establecidas en el presente Reglamento. La carga de la prueba de la intencionalidad o la negligencia de un prestador no cualificado de servicios de confianza corresponderá a la persona física o jurídica que alegue los perjuicios a que se refiere el primer párrafo. Se presumirá la intencionalidad o la negligencia de un prestador cualificado de servicios de confianza salvo cuando ese prestador cualificado de servicios de confianza demuestre que los perjuicios a que se refiere el párrafo primero se produjeron sin intención ni negligencia por su parte".

la obligación de "un seguro de responsabilidad civil por importe mínimo de 1.500.000 euros, excepto si el prestador pertenece al sector público. Si presta más de un servicio cualificado de los previstos en el Reglamento (UE) 910/2014, se añadirán 500.000 euros más por cada tipo de servicio".

Además, el Reglamento establece obligaciones mínimas de seguridad y responsabilidad para los prestadores y los servicios que prestan. A tal efecto, se han tenido en cuenta los resultados de las iniciativas punteras lideradas por el sector (por ejemplo, el foro de autoridades de certificación y navegadores CA/B Fórum). Además, el Reglamento no debe oponerse a la utilización de otros medios o métodos de autenticación de un sitio web que no estén regulados por el Reglamento.

IV. EL RECONOCIMIENTO COMO EFECTO NO COMO PROCEDIMIENTO

El reconocimiento de la identidad electrónica en el ámbito transfronterizo plantea una cuestión fundamental en relación a si constituye bien un procedimiento formal de validación externa o más bien un efecto jurídico derivado del principio de eficacia extraterritorial de ciertos actos o situaciones jurídicas. Esta cuestión nos debe llevar a si, desde una perspectiva clásica del Derecho internacional privado, el reconocimiento no es, en sí mismo, un procedimiento autónomo, sino el resultado de la atribución de efectos jurídicos a una situación preconstituida conforme al ordenamiento extranjero[229]. Esto se traslada con fuerza al análisis de la identidad digital cuando esta ha sido validada conforme a los parámetros de confianza establecidos en otro Estado.

En el contexto europeo, el artículo 6 del Reglamento eIDAS establece el principio de reconocimiento mutuo de medios de identificación electrónica notificados por los Estados miembros. Este reconocimiento se produce de forma automática, sin necesidad de una validación sustantiva por parte del Estado receptor, siempre que concurran los requisitos técnicos y formales previamente armonizados[230], por ese motivo, desde nuestro punto de vista, el reconocimiento actúa como

---

229 Como destaca el Prof. Carrascosa González, el reconocimiento no constituye un procedimiento de validación, sino una consecuencia natural de la eficacia extraterritorial de situaciones jurídicas válidamente constituidas en otro Estado (CARRASCOSA GONZÁLEZ, J., "El Derecho Internacional Privado Europeo: la auténtica Constitución Civil de la Unión Europea", *Revista Actualidad Civil*, septiembre, 2022).

230 FERENCZ, O., *Digital Identity and Trust Services in the EU Law*, Springer, 2022.

un efecto jurídico derivado del principio de confianza mutua, y no como un proceso discrecional ni como una autorización *ex novo*.

Este enfoque ha sido ratificado en la práctica por diversas autoridades nacionales y, de forma indirecta, por el Tribunal de Justicia de la Unión Europea (TJUE), que ha afirmado en reiterada jurisprudencia que el reconocimiento de documentos y situaciones jurídicamente constituidas en otro Estado miembro forma parte del acervo estructural de la integración europea. En este sentido, conviene recordar la sentencia *Rinau* (asunto C-195/08)[231], en la que el Tribunal subrayó que el reconocimiento automático constituye una manifestación directa del principio de confianza recíproca y no requiere de un control sustantivo salvo en supuestos de excepción estrictamente tasados.

En el ámbito de la identidad digital, esta lógica conlleva consecuencias de gran calado. En efecto, una identidad electrónica validada en el Estado A (por ejemplo, mediante una autoridad de certificación cualificada conforme al eIDAS) debe ser aceptada en el Estado B sin necesidad de verificación material de su contenido, estructura o autenticidad. El reconocimiento, por tanto, no opera como un proceso de homologa-

---

231 STJUE, de 11 de julio de 2008, asunto C-195/08 PPU, ECLI:EU:C:2008:406, apartados 45 y 46.

ción, sino como la proyección normativa de una identidad ya constituida que despliega efectos jurídicos por virtud del principio de equivalencia funcional[232].

Sin embargo, esta concepción no está exenta de riesgos ni de ambigüedades puesto que puede plantearse cuestiones en relación con si todos los efectos derivados de la identidad electrónica, por ejemplo, la presunción de autenticidad, la capacidad para celebrar contratos o acceder a procedimientos administrativos, deben proyectarse íntegramente en el Estado receptor[233], o si este puede modularlos conforme a su propio ordenamiento. Este reconocimiento pleno y la adaptación funcional reaparece aquí con fuerza, especialmente, en contextos donde los derechos o las facultades asociados a la identidad electrónica van a presentar una dimensión sustantiva relevante[234].

---

232 FERENCZ, O., *Digital Identity and Trust Services in the EU Law*, Springer, 2022, pp. 94 y 96.

233 En este sentido, el Prof. Garcimartín Alférez, ha destacado la necesidad de una eventual adaptación funcional de los efectos jurídicos reconocidos, para evitar tensiones con el ordenamiento del foro (GARCIMARTÍN ALFÉREZ, F. J., "Reconocimiento de decisiones extranjeras y eficacia de actos jurídicos", en *Curso de Derecho internacional privado* (dir. Basedow), Aranzadi, 2020, pp. 205-211).

234 DE MIGUEL ASENSIO, P. A., *Derecho privado de internet*, Aranzadi, 2023, p. 251.

Por otro lado, debe advertirse que el reconocimiento como efecto no excluye la posibilidad de control *ex post*. En este sentido, tanto el artículo 6 del eIDAS como las reformas introducidas por la propuesta de Reglamento eIDAS 2.0 prevén mecanismos de supervisión, notificación de incidentes y suspensión de confianza en caso de vulneración de los estándares técnicos. Esto confirma que el reconocimiento no es un proceso formal, pero tampoco una aceptación ciega: es una presunción de validez que puede decaer si se acredita su ineficacia, falsedad o ilicitud.

Esta distinción va a resultar relevante cuando se compara con modelos no europeos como, por ejemplo, sistemas latinoamericanos o asiáticos, la aceptación de una identidad electrónica extranjera requiere una verificación notarial o administrativa previa[235], lo cual convierte al reconocimiento en un procedimiento más que en un efecto[236]. En este contexto, debe

---

235 BÁRCENA ZUBIETA, A., "La firma electrónica en México: entre la validez y la equivalencia funcional", *Revista del Instituto de la Judicatura Federal*, 2018; PINTO, M., "Interoperabilidad y reconocimiento internacional de la firma digital en Argentina", *Revista de Derecho Informático*, 2020.

236 Vease, por ejemplo, en México la *Ley de Firma Electrónica Avanzada* (LFEA) de 2003 Disponible en https://www.diputados.gob.mx/LeyesBiblio/pdf/LFEA_200521.pdf (última visita: 8 de julio de 2025) o en Argentina la

destacarse que el modelo seguido en europea se aproxima más a una concepción objetiva, automática y funcional del reconocimiento, que permite la fluidez jurídica entre ordenamientos conectados por estándares comunes de confianza.

Desde un punto de vista doctrinal, esta cuestión conecta también con el debate más amplio sobre la naturaleza jurídica de la identidad digital con relación a si es un simple instrumento de identificación, un atributo de la personalidad o un derecho subjetivo[237]. Si se opta por la primera interpretación, el reconocimiento como efecto se impone casi de forma natural, pero si se entiende la identidad electrónica como una manifestación de la personalidad jurídica o de la ciudadanía digital, su reconocimiento transfronterizo podría exigir mayores garantías, incluyendo un eventual control de compatibilidad con el orden público del foro.

Por lo dicho, podemos observar que la caracterización del reconocimiento como efecto jurídico derivado de un marco normativo compartido permite facilitar la

---

Ley 25.506 sobre Firma Digital, de 2001 Disponible en https://servicios.infoleg.gob.ar/infolegInternet/anexos/70000-74999/70749/norma.htm (última visita: 8 de julio de 2025).

237 DE HERT, P., "The data protection regime in the EU: An effective tool for identity construction and management?", *Computer Law & Security Review*, 2012.

circulación transfronteriza de la identidad electrónica, en línea con los objetivos del mercado digital único. Pero esta concepción debe complementarse con mecanismos de supervisión, salvaguardias procedimentales y un mínimo margen de apreciación nacional para evitar abusos, fraudes o efectos disfuncionales[238]. Solo así podrá alcanzarse un equilibrio razonable entre eficacia y protección, entre circulación y control.

V. RECONOCIMIENTO EXTRACOMUNITARIO

A diferencia del reconocimiento intracomunitario, que se basa en el principio de confianza mutua entre Estados miembros y en un sistema reglamentario armonizado (eIDAS), el reconocimiento extracomunitario de la identidad electrónica plantea importantes desafíos desde el punto de vista del Derecho internacional privado, del Derecho administrativo y de la ciberseguridad transfronteriza. Las cuestiones fundamentales giran en torno a si, cómo y en qué condiciones pueden ser aceptadas identidades digitales emitidas fuera del espacio europeo, y qué efectos se les reconoce en el foro.

---

238 LENAERTS, K., "La confianza mutua en la cooperación judicial en materia civil", *Revista de Derecho Comunitario Europeo*, nº 50, 2015.

La problemática del reconocimiento de la identidad electrónica más allá del ámbito de la Unión Europea plantea interrogantes jurídicos significativos en términos de eficacia transfronteriza, convergencia regulatoria y confianza mutua entre sistemas normativos heterogéneos. De esta forma, a diferencia del reconocimiento intracomunitario, que se apoya sobre una base estructural de armonización normativa y confianza institucional, el reconocimiento **extracomunitario** carece de un marco horizontal consolidado y se encuentra expuesto a fuertes variaciones en función del país de origen, la tecnología empleada y los principios de Derecho aplicables en el Estado receptor.

El Reglamento (UE) n.º 910/2014 establece un marco exhaustivo para la identificación electrónica dentro del territorio de la Unión. Su artículo 6 prevé que los medios de identificación notificados por un Estado miembro deben ser reconocidos por los demás para acceder a servicios públicos en línea. Sin embargo, esta regla no se extiende a terceros países, salvo que exista un acto jurídico específico de reconocimiento mutuo o una decisión de la Comisión que apruebe su validez. Por tanto, no hay obligación de aceptar certificados ni identidades digitales extracomunitarias en el espacio europeo, ni siquiera en términos de equivalencia funcional.

La práctica internacional demuestra que existen modelos muy dispares de tratamiento de identidades digitales foráneas. En países como México y Argentina, el reconocimiento de una firma electrónica o credencial digital extranjera requiere, generalmente, verificación notarial o administrativa previa, en ausencia de un acuerdo específico. Así, la Ley de Firma Electrónica Avanzada mexicana (2003) establece en su artículo 29 que los certificados extranjeros solo surtirán efectos si son reconocidos por una autoridad mexicana o existe un tratado de reciprocidad[2392]. En Argentina, la Ley 25.506 de Firma Digital exige igualmente (art. 14) el reconocimiento mediante convenio o resolución administrativa[240].

En el ámbito asiático, India y China ofrecen modelos diferentes en los que por un lado, India, conforme al *Information Technology Act* (2000), la aceptación de certificados extranjeros depende de su validación por parte del Controller of Certifying Authorities[241]. Por

---

239 Ley de Firma Electrónica Avanzada (México), art. 29. Disponible en https://www.diputados.gob.mx/LeyesBiblio/pdf/LFEA_200521.pdf (última visita: 8 de julio de 2025)

240 Ley 25.506 (Argentina), art. 14. Disponible en https://servicios.infoleg.gob.ar/infolegInternet/anexos/70000-74999/70749/norma.htm (última visita: 8 de julio de 2025).

241 Information Technology Act (India), Sección 18 y siguientes. Disponible en https://www.indiacode.nic.in/bitstream/123456789/13116/1/it_act_2000_updated.pdf (última visita: 8 de julio de 2025).

otro lado, China, su *Electronic Signature Law* de 2019 prevé que la firma electrónica extranjera podrá aceptarse si cumple condiciones de seguridad, identificación y certificación impuestas por las autoridades regulatorias[242]. No se admite, por tanto, ningún tipo de reconocimiento automático.

Por otro lado, Estados Unidos representa un modelo descentralizado, en el que los sistemas de identidad y autenticación están gestionados por entidades privadas o sectoriales, sin un estándar federal uniforme ni una autoridad central certificadora. Aunque existen avances en interoperabilidad (por ejemplo, NIST SP 800-63), no hay compatibilidad estructural directa con los sistemas europeos basados en certificación pública[243].

En ausencia de tratados multilaterales vinculantes, el reconocimiento extracomunitario se ve forzado a operar mediante el principio de equivalencia funcional, que exige verificar si el sistema extranjero proporciona un nivel de seguridad, autenticidad y fiabilidad

---

242 Electronic Signature Law of the People's Republic of China, art. 19. Disponible en https://www.wipo.int/wipolex/en/legislation/details/6559 (última visita: 8 de julio de 2025).

243 KUNER, Ch., "Transatlantic Data Privacy and the Lack of a US Identity Framework", *European Data Protection Law Review*, vol. 3, n.º 2, 2017, pp. 154–158.

similar al exigido por el ordenamiento del foro. Este tipo de reconocimiento no garantiza la atribución plena de efectos. Como explica el Prof. Garcimartín, puede ser necesario proceder a una adaptación funcional de los efectos jurídicos, especialmente cuando los derechos derivados de la identidad electrónica extranjera afectan a elementos sustantivos del orden público o del régimen interno[244]. Así, por ejemplo, una firma digital emitida en un país tercero puede ser aceptada a efectos de identificación, pero no para producir efectos procesales plenos sin intervención de fedatario o sin reinscripción en un sistema nacional. Desde un enfoque doctrinal, también se ha planteado la tensión entre reconocimiento y control jurisdiccional. Mientras en el contexto comunitario el TJUE ha sostenido en casos como *Rinau* (C-195/08), mencionada anteriormente, puesto que el reconocimiento no puede ser denegado salvo en supuestos excepcionales, fuera de la UE no rige este principio.

Existen diversos esfuerzos de cooperación bilateral e interregional que anticipan modelos incipientes de reconocimiento limitado de la identidad electrónica.

---

244 GARCIMARTÍN ALFÉREZ, F. J., "Reconocimiento de decisiones extranjeras y eficacia de actos jurídicos", en *Curso de Derecho internacional privado* (dir. Basedow), Aranzadi, 2020, pp. 205-211.

En particular, la cooperación digital entre España y países del MERCOSUR[245], así como los memorandos técnicos suscritos entre la Unión Europea y Estados del Sudeste Asiático (como Singapur o Corea del Sur)[246], permiten vislumbrar mecanismos de reconocimiento recíproco sustentados en estándares técnicos comunes y criterios de equivalencia funcional. No obstante, tales iniciativas se centran prioritariamente en la interoperabilidad técnica, sin alcanzar aún un verdadero reconocimiento jurídico automático, que requeriría la adopción de instrumentos normativos bilaterales o multilaterales vinculantes.

Por ello, varios autores reclaman avanzar hacia un marco multilateral de reconocimiento, análogo al sistema de *Pasarelas de Confianza* (Trust Frameworks) promovido por la OCDE o el proyecto de Identidad Digital Transnacional de la CNUDMI. De esta forma, como señala Rolf H. Weber, la interoperabilidad global de identidades digitales requiere no solo compatibilidad

---

245 Acuerdo de Reconocimiento Mutuo de Certificados de Firma Digital del MERCOSUR, ratificado por Uruguay mediante Ley 19.918 (2020); cooperación institucional con España vía ICEX–Uruguay XXI (2017).

246 European Commission, EU–Singapore Digital Partnership, 1 febrero 2023. Disponible en: https://digital-strategy.ec.europa.eu/en/news/eu-and-singapore-launch-digital-partnership (última visita: 8 de julio de 2025).

técnica, sino una convergencia mínima de principios jurídicos, sin la cual no puede hablarse propiamente de reconocimiento[247]. Por ello, en ausencia de un marco multilateral vinculante, y en tanto no se consolide una red internacional de confianza digital, el reconocimiento extracomunitario seguirá estando sometido a criterios **unilaterales, técnicos o convencionales,** con el consiguiente riesgo de obstaculizar la circulación de personas y actos jurídicos en el espacio digital global.

VI. INSTRUMENTOS MULTILATERALES RELEVANTE

La ausencia de un instrumento internacional vinculante que regule el reconocimiento transfronterizo de identidades electrónicas y servicios de confianza representa una de las principales lagunas del Derecho internacional privado en el entorno digital. Esta carencia no solo genera inseguridad jurídica, sino que dificulta seriamente la circulación efectiva de personas, actos y relaciones jurídicas en entornos desmaterializados, especialmente cuando los elementos del supuesto se sitúan fuera del ámbito de aplicación del Reglamento eIDAS. Si bien existen referencias indi-

247 WEBER, R. H., "Legal Challenges of Identity Management in the Digital Age", *Journal of International Commercial Law and Technology*, vol. 7, n.º 1, 2012, pp. 12–19.

rectas y soluciones sectoriales, lo cierto es que el Derecho internacional contemporáneo no ha abordado aún de forma orgánica esta cuestión, a pesar de su creciente centralidad práctica y su dimensión estructural en las relaciones transfronterizas.

Es posible identificar ciertos instrumentos multilaterales que inciden tangencialmente en esta materia, ya sea como antecedentes funcionales, marcos técnicos de referencia o propuestas de soft law con capacidad inspiradora. Entre ellos destacan las Leyes Modelo de la CNUDMI sobre Comercio Electrónico (1996) y sobre Firmas Electrónicas (2001), que han contribuido decisivamente a la difusión del principio de equivalencia funcional en el ámbito de los documentos y las firmas electrónicas. Ambos textos, sin embargo, carecen de disposiciones específicas sobre el reconocimiento de identidades electrónicas extranjeras, y su aplicación depende en última instancia de la recepción legislativa interna y de la valoración jurisdiccional de la fiabilidad del sistema utilizado en el país de origen. Como ha señalado Rolf H. Weber, estos instrumentos ofrecen una aproximación pragmática basada en la fiabilidad técnica, pero no constituyen un marco jurídico propiamente dicho[248].

---

[248] WEBER, R. H., "Legal Challenges of Identity Management in the Digital Age", *Journal of International Commercial Law and Technology*, vol. 7, n.º 1, 2012, pp. 12–19.

Otra referencia indirecta, aunque relevante, se encuentra en el Convenio de Budapest sobre la Ciberdelincuencia de 2001, cuyo artículo 14 impone la obligación de adoptar medidas que permitan la admisión de pruebas electrónicas, sin excluir a priori aquellas que incorporen identificadores digitales procedentes de otros Estados. Si bien se trata de un instrumento penal, su impacto en la admisibilidad procesal de las identidades electrónicas como medios de autenticación no puede ser ignorado, especialmente cuando dichas identidades desempeñan funciones equivalentes a las de la firma o la identificación tradicional en contextos judiciales.

Con todo, el debate principal no se sitúa tanto en los efectos procesales o contractuales aislados como en la necesidad de avanzar hacia un instrumento multilateral específico sobre identidad electrónica y servicios de confianza. La ausencia de un marco uniforme de reconocimiento crea un espacio de incertidumbre que favorece soluciones unilaterales, respuestas defensivas por parte de los ordenamientos internos y un claro desequilibrio entre Estados con capacidades tecnológicas y regulatorias muy diferentes. En este punto, la experiencia europea con el Reglamento eIDAS podría ofrecer una base metodológica valiosa, no para ser replicada de forma automática, sino como punto de partida para una futura convención internacional de carácter funcional.

Un eventual convenio multilateral debería responder a una serie de exigencias básicas: en primer lugar, la definición común de los conceptos de identidad electrónica y servicio de confianza, partiendo de los elementos técnicos pero sin renunciar a una caracterización jurídica suficiente. En segundo lugar, el establecimiento de criterios mínimos de fiabilidad, supervisión y trazabilidad que permitan justificar el reconocimiento condicionado o pleno de las identidades electrónicas emitidas en otro Estado parte. Y en tercer lugar, la articulación de una cláusula general de excepción basada en el orden público digital, que permita denegar efectos únicamente cuando existan motivos objetivos y proporcionados, en línea con los desarrollos más recientes del Derecho internacional privado europeo.

Desde una perspectiva técnico-jurídica, este instrumento podría tomar como modelo el Convenio de La Haya de 2005 sobre acuerdos de elección de foro, en cuanto prevé un equilibrio razonable entre la autonomía de las partes y la previsibilidad jurisdiccional. Como ha propuesto Pedro de Miguel Asensio, el avance hacia una arquitectura jurídica global de la identidad digital exige combinar mecanismos de equivalencia funcional, interoperabilidad técnica y cláusulas de salvaguarda que permitan a los Estados preservar sus valores fundamentales sin fracturar la coherencia del sistema[249].

Algunos desarrollos recientes podrían prefigurar este horizonte normativo. El Acuerdo de Reconocimiento Mutuo de Certificados Digitales del MERCOSUR (2019) y los convenios técnicos entre Uruguay, Brasil y Paraguay demuestran que es posible alcanzar compromisos interestatales sobre la base de estándares comunes y validación recíproca. Por su parte, la participación de España en iniciativas como Digital Nations y el trabajo de la OCDE sobre marcos de confianza digital apuntan a la consolidación de un lenguaje técnico compartido, que podría facilitar una futura codificación multilateral.

En definitiva, el reconocimiento transfronterizo de la identidad electrónica exige abandonar el paradigma de las soluciones fragmentadas y avanzar hacia un marco común basado en estándares objetivos, controles mutuos y confianza regulada. La fragmentación normativa actual no solo perjudica la eficacia de los derechos digitales, sino que debilita la arquitectura del propio Derecho internacional privado, que debe asumir un papel proactivo en la configuración jurídica del espacio digital global.

---

249 DE MIGUEL ASENSIO, P. A., *Derecho privado de internet*, Aranzadi, 2023, p. 251.

VII. RECONOCIMIENTO JUDICIAL DE IDENTIDADES ELECTRÓNICAS

La evolución normativa de la cooperación judicial civil en la Unión Europea ha generado un contexto favorable para el uso y reconocimiento de las identidades electrónicas en el ámbito procesal. Más allá de su función transaccional o administrativa, las identidades electrónicas, especialmente las basadas en firma cualificada conforme al Reglamento eIDAS, han comenzado a desempeñar un papel relevante en los procedimientos judiciales, particularmente en lo que se refiere a la identificación de las partes, la presentación de documentos y la autenticación de notificaciones o pruebas transfronterizas.

El Reglamento 2020/1784, relativo a la notificación de documentos judiciales y extrajudiciales en materia civil o mercantil (refundición del Reglamento 1393/2007), incorpora referencias explícitas a la utilización de servicios electrónicos de confianza regulados por el Reglamento eIDAS. En particular, el artículo 5,2 del Reglamento 2020/1784 prevé que los documentos podrán transmitirse por medios electrónicos siempre que se utilicen servicios de entrega electrónica cualificada, conforme al artículo 44 del Reglamento eIDAS. La Decisión de Ejecución 2022/1428, que establece las especificaciones técnicas de este sistema, refuerza esta conexión al imponer estándares de autenticación electrónica y trazabilidad basados en los niveles de garantía previstos por eIDAS.

De forma paralela, el Reglamento 2020/1783 sobre obtención de pruebas (refundición del Reglamento 1206/2001) también promueve el uso de canales electrónicos seguros, especialmente a través del sistema descentralizado de comunicación e-CODEX. El artículo 7,3 establece que, cuando se utilicen medios electrónicos, deberán garantizarse la autenticación del origen, la integridad del contenido y la protección contra accesos no autorizados. Aunque este precepto no menciona directamente el Reglamento eIDAS, la Decisión de Ejecución 2022/1226 relativa a las condiciones técnicas de e-CODEX sí remite a la necesidad de utilizar identidades electrónicas y firmas calificadas reconocidas en virtud de dicho Reglamento.

Este marco normativo ha introducido una dimensión adicional del reconocimiento de identidades electrónicas: su validez y eficacia en sede judicial, no solo en cuanto a su aceptación técnica, sino también respecto de sus efectos jurídicos en procesos transfronterizos. La identificación electrónica de una parte procesal o de un profesional del Derecho a través de medios cualificados emitidos en otro Estado miembro plantea interrogantes sobre su equivalencia con las formas tradicionales de personación, presentación y firma. En este contexto, resulta particularmente relevante considerar la posición del Tribunal de Justicia de la Unión Europea, que ha insistido en que las exigencias formales nacionales no pueden vaciar de contenido los efectos de los actos válidamente realizados en otro Estado miembro conforme a su ordenamiento.

Aunque el TJUE no se ha pronunciado directamente sobre el uso de identidades electrónicas en sede procesal, algunas decisiones permiten extraer principios aplicables por analogía. En el asunto C-279/09, DEB Deutsche Energiehandels- und Beratungsgesellschaft mbH v. Bundesrepublik Deutschland, el Tribunal reconoció que los requisitos de acceso a la justicia deben interpretarse a la luz del principio de efectividad y del derecho a una tutela judicial efectiva (EU:C:2010:811). En el asunto C-617/10, Åklagaren v. Hans Åkerberg Fransson, se reafirmó que las exigencias formales nacionales no pueden menoscabar el efecto útil del Derecho de la Unión (EU:C:2013:105). Más cerca aún del plano documental, en el asunto C-452/06, Waltraud Kapferer v. Schlank & Schick GmbH, el Tribunal reiteró que no pueden imponerse condiciones adicionales que obstaculicen el reconocimiento de efectos jurídicos atribuidos a actos válidamente emitidos en otro Estado miembro (EU:C:2008:201). Estas decisiones sostienen la tesis de que la identidad electrónica cualificada, si cumple con los requisitos del Reglamento eIDAS, no debería ser objeto de exigencias adicionales por parte de las autoridades judiciales nacionales, salvo por razones justificadas de orden público procesal.

Tal como ha señalado el Prof. Lenaerts, dicho principio exige que "los Estados miembros confíen, incluso en ausencia de armonización, en que el ordenamiento jurídico de los demás Estados miembros ofrece una protección equivalente a la que garantiza el propio ordenamiento"[250]. De esta forma, desde una perspectiva sistemática, el reconocimiento judicial de identidades electrónicas debe entenderse como una manifestación específica del principio de confianza mutua que preside el espacio judicial europeo.

En la práctica, sin embargo, subsisten tensiones derivadas de la diversidad en los niveles de digitalización de los sistemas judiciales nacionales, así como de la interpretación que cada ordenamiento hace de los requisitos de autenticidad, firma o capacidad procesal. Esta asimetría puede generar disfunciones, especialmente en procedimientos donde la identidad electrónica actúa como presupuesto de admisibilidad

---

[250] LENAERTS, K., "La vida después de la Opinión 1/13: La autonomía del ordenamiento jurídico de la Unión y la cooperación internacional", *Revista General de Derecho Europeo*, n.º 37, 2015.

o eficacia procesal. La doctrina ha comenzado a abordar estas cuestiones con creciente atención[251].

Este reconocimiento funcional exige no solo tolerancia formal sino una integración activa de los mecanismos digitales extranjeros, lo que obliga a repensar conceptos clásicos como la firma manuscrita, la personación física o la presentación documental en papel. La identidad electrónica, en tanto que herramienta de autenticación personal certificada por un prestador cualificado, debe ser entendida como medio legítimo para garantizar la identificación, la voluntad y la vinculación jurídica de las partes, incluso en procedimientos nacionales con escaso desarrollo digital.

Desde una perspectiva técnico-jurídica, la extensión de la identidad electrónica al ámbito procesal permite avanzar hacia una cierta homogeneización de los estándares de acceso y representación en juicio. Esto cobra especial importancia en procedimientos en los que intervienen partes domiciliadas en distintos Estados

---

[251] Como ha advertido el Prof. Asensio "la plena eficacia transfronteriza de las identidades electrónicas en el proceso judicial requiere no solo interoperabilidad técnica, sino también una aceptación funcional de los efectos procesales que se les atribuyen en origen" DE MIGUEL ASENSIO, P. A., *Derecho privado de internet*, Aranzadi, 2023, p. 247).

miembros, o cuando se actúa a través de representantes procesales habilitados digitalmente. En tales casos, el uso de credenciales electrónicas reconocidas conforme al Reglamento eIDAS, tales como certificados de firma cualificada o sellos electrónicos, constituye un medio eficaz y fiable para acreditar legitimación, capacidad y representación, reduciendo cargas documentales y riesgos de denegación injustificada.

Aun en ausencia de una regulación uniforme sobre el reconocimiento judicial de las identidades electrónicas, los Reglamentos europeos de cooperación judicial ofrecen una vía de integración progresiva. A medida que los sistemas nacionales adoptan mecanismos compatibles con eIDAS y se consolidan redes como e-CODEX, la identificación electrónica de las partes procesales y la presentación de documentos mediante servicios de confianza cualificados se convertirá en un elemento estructural del proceso civil europeo. El reconocimiento de estos mecanismos no puede considerarse una mera cuestión de técnica procesal, sino una exigencia derivada de los principios fundacionales del espacio de libertad, seguridad y justicia.

En este escenario, el Derecho internacional privado debe asumir un papel integrador, articulando criterios de equivalencia funcional, adaptación de efectos y límites derivados del orden público procesal. Solo así será posible garantizar una tutela judicial efectiva y coherente con las transformaciones tecnológicas del entorno digital europeo. En última instancia, el reconocimiento judicial de la identidad electrónica no es un simple problema de interoperabilidad técnica, sino un test decisivo sobre la capacidad de los sistemas jurídicos para adaptarse a una realidad donde lo digital ha dejado de ser excepcional para convertirse en regla general.

Capítulo IV

Aspectos jurídico prácticos de la identidad electrónica

I. LA NACIONALIDAD Y LA RESIDENCIA ELECTRÓNICA

La nacionalidad es uno de los elementos jurídicos que configuran de manera más inmediata la identidad de las personas. De esta forma, puede decirse que la identidad de las personas se construye jurídicamente a partir de la nacionalidad, pero también con otras realidades que se yuxtaponen a ésta, con derechos de ciudadanía reconocidos en la esfera internacional y local, mediante el reconocimiento de derechos que afectan a elementos tan esenciales de la identidad como la cultura, lengua, tradición, etc.[252]

Junto a lo anterior, debe observarse la identidad electrónica y, con ella, a la residencia de los datos,

---

[252] RODRÍGUEZ BENOT, A., "El criterio de conexión para determinar la ley personal: un renovado debate en Derecho Internacional Privado", *CDT*, 2010, VOL. 2, pp. 186-202.

como cuestión fundamental. La evolución tecnológica ha provocado la exigencia de un entorno jurídico previsible, siendo evidente, por tanto, la necesidad de dar certeza jurídica a todos los ámbitos del Derecho. Si la internacionalización de las relaciones personales y los derechos reconocidos ha afectado a la comprensión y configuración de la nacionalidad, no podemos dejar pasar por alto qué efectos ha tenido, tiene o puede tener la construcción tecnológica que se está produciendo, la cual se constata en la soberanía de los datos y, por ende, su protección. Siendo, en este contexto, donde entra en juego la UE, como reto global[253].

Ahora bien, como dijimos anteriormente, la existencia de la UE no altera el principio básico de que son los Estados miembros quienes confieren la nacionalidad según su propia normativa, determinando quiénes son nacionales y quiénes extranjeros. Dicho

---

253 Es indudable que los avances tecnológicos, en materia de intercambio electrónico de datos, han propiciado el desarrollo de esta tendencia en todos los órdenes, lo que implica realizar las adecuaciones, en los regímenes, que sean necesarias para que estén acordes con las transformaciones que han tenido lugar. En este sentido, véase, Rodríguez Benot, A.; Ybarra Bores, A., "La determinación del ordenamiento aplicable a los contratos internacionales en un mercado globalizado: la experiencia europea", *Congreso Internacional de Derecho Mercantil, Instituto de Investigaciones Jurídicas de la UNAM,* del 8 al 10 de marzo de 2006, p. 347.

de otro modo, la nacionalidad debe determinarse con arreglo al Derecho del país, cuya nacionalidad dice ostentar el sujeto. Cada Estado dispone de competencia exclusiva para determinar qué personas ostentan su nacionalidad. Asimismo, el TJUE, como ya hemos puesto de manifiesto, ha indicado que la atribución o pérdida de la nacionalidad de un ciudadano de un Estado miembro es competencia exclusiva de dicho Estado miembro, puesto que ello afectaría a un ciudadano de la UE, aunque el ejercicio de esa competencia puede ser sometido a un control jurisdiccional a realizar con arreglo al Derecho de la UE.

Ahora bien, el ejercicio de los derechos que confiere la ciudadanía europea puede verse afectado por cómo determinan los Estados miembros quién es su nacional, por la competencia exclusiva de los Estados, pero la mera existencia de la Unión Europea ha sacudido algunos elementos esenciales de la concepción de la nacionalidad y la idea de que ésta refleja una vinculación con el Estado, siendo en ocasiones potenciada la vinculación con la Unión Europea que implica la ciudadanía europea.

La ciudadanía europea fue introducida, en 1992, en el Tratado de Maastricht[254] (artículos 17 y ss. del TCE) y consolidada en los textos posteriores. De

---

254 DOCE n° C 191 de 29 de julio de 1992.

modo más concreto, situémonos en el Tratado de Lisboa, firmado en esta ciudad, el 13 de diciembre de 2007, que entró en vigor el 1 de diciembre 2009[255], por el que se modifican el Tratado de la Unión Europea y el Tratado Constitutivo de la Comunidad Europea, y que, en gran parte, reproduce las innovaciones contenidas en el "fallido" Tratado que establecía una Constitución para Europa.

El Tratado de Lisboa sitúa la libertad, la justicia y la seguridad entre sus prioridades más importantes. Con ello, se quiere poner en práctica políticas en diversos campos: crecimiento económico y competitividad, desarrollo del empleo y las condiciones sociales, aumento de la seguridad personal y colectiva, fomento del medio ambiente y las condiciones sanitarias, desarrollo de la cohesión y la solidaridad entre los Estados miembros, en cuanto a progreso científico y tecnológico, además de mejorar su capacidad de actuación en la escena internacional. El citado tratado preveía la modificación del Tratado de la Unión Europea y del Tratado Constitutivo de la Comunidad Europea, pasando a llamarse Tratado de Funcionamiento de la Unión Europea. En el citado Tratado encontramos cuatro disposiciones legales esenciales[256], que ya hemos mencionado, esto es el artículo 16 TFUE, el

---

255 DOUE de 17 de diciembre de 2007.

256 DOUE de 7 de junio de 2016.

artículos 20 a 25 TFUE, en el que se recoge lo que podríamos denominar como el derecho de la ciudadanía europea, el artículo 77 TFUE, que recoge la posibilidad de que la UE, en referencia a las políticas de fronteras, asilo, inmigración, etc. y el artículo 114 TFUE se refiere a la adopción de normas a fin de eliminar los obstáculos que dificultan el funcionamiento del mercado interior. A través de este precepto, se pretende que los ciudadanos, empresas y administraciones puedan beneficiarse del reconocimiento y la aceptación mutua de la identificación, autenticación y la firma electrónica y otros servicios de confianza través de las fronteras cuando resulte necesario para el acceso y la realización de procedimientos o transacciones electrónicos.

Lo anterior ha tenido su desarrollo:

1. Reglamento 910/2014 del Parlamento Europeo y del Consejo, de 23 de julio de 2014, relativo a la identificación electrónica y los servicios de confianza para las transacciones electrónicas en el mercado interior y por la que se deroga la Directiva 1999/93/CE (eIDAS)[257].
2. El Reglamento 2016/679 del Parlamento Europeo y del Consejo, de 27 de abril de 2016, relativo a la protección de las personas físicas en lo

---

[257] DOUE de 28 de agosto de 2014.

que respecta al tratamiento de datos personales y a la libre circulación de estos datos y por el que se deroga la Directiva 95/46/CE (Reglamento general de protección de datos, RGPD)[258].

3. El Reglamento 2018/1807 del Parlamento Europeo y del Consejo de 14 de noviembre de 2018 relativo a un marco para la libre circulación de datos no personales en la Unión Europea[259].

4. En este mismo orden de cosas, debemos mencionar la Directiva 2016/1148 del Parlamento Europeo y del Consejo, de 6 de julio de 2016, relativa a las medidas destinadas a garantizar un elevado nivel común de seguridad de las redes y sistemas de información en la Unión (Directiva NIS)[260].

Con la citada normativa se opta por hacer una reglamentación uniforme, armonizadora de las legislaciones nacionales, imponiéndoles requisitos de reconocimiento mutuo a la identidad electrónica y un sistema de protección, a sabiendas que la identidad electrónica está dotada de datos esencialmente personales que identifican o hacen identificables a cualquier individuo.

---

258 DOUE de 4 de mayo de 2016.

259 DOUE de 11 de noviembre de 2018.

260 DOUE de 19 de septiembre de 2016.

Así, el artículo 6 del Reglamento eIDAS establece el reconocimiento y la aceptación mutua de los medios de identificación electrónica. El citado artículo presenta como objetivo, el establecer un reconocimiento armonizado de los sistemas de identificación electrónica entre los Estados miembros de la UE. Precisamente, donde se requiera una identificación electrónica y una autenticación, en virtud de la legislación o la práctica administrativa nacional, para acceder al servicio en línea, éste debe ser accesible para todas las personas, ya sean físicas o jurídicas, que utilizan medios de identificación electrónica expedidos en otro Estado miembro y siempre que, estos datos, estén incluidos en una lista publicada por la Comisión (artículo 6,1 in fine).

En este contexto, hay Estados miembros están a la vanguardia de la identificación electrónica, al emitir tarjetas nacionales criptográficas, que incluyen la firma reconocida y la autenticación más fuerte, basada en certificados digitales sobre un soporte de dispositivo seguro de creación de firma con chip; entre ellos: España con nuestro DNI electrónico, Alemania, Italia, Austria, Bélgica, Finlandia, Suecia y Estonia[261].

---

261 MERCHÁN MURILLO, A., *Firma electrónica: funciones y problemática,* Aranzadi, Pamplona, 2016, p. 115.

Especial referencia merece este último, que, con la emisión de tarjetas de identificación inteligentes, permite a los e-estonios (que no tienen que tener la nacionalidad de este país de la Unión Europea ni siquiera la residencia física en él), accedan a multitud de servicios online, así como a la firma digital. Resulta especialmente interesante dos de sus características: 1) su obtención es voluntaria y abierta a todas las personas del mundo (no sólo de la Unión Europea); 2) No tiene en cuenta la residencia física ni la nacionalidad, puesto que la sociedad digital se mueve en otros parámetros y lo que en realidad se ofrece, por el Gobierno estonio, es la estructura digital a la que se puede acceder desde cualquier parte del mundo y los servicios que su utilización proporciona. El servicio está dirigido, principalmente, a aquellos que ya tienen vínculos con Estonia, ya sea a través de negocios, estudios o por turismo. Se trata de plataformas que proporcionan y utilizan servicios digitales en todo el mundo. Con ello, se espera que la e-residencia atraiga a nuevos clientes a los servicios digitales de Estonia.

Pero la cuestión va más allá, no podemos olvidarnos que lo anterior tiene su origen en las diversas iniciativas que se están llevando a cabo en la Unión Europea como, por ejemplo, el programa Europa Digital, todos los programas para la explotación de sistemas electrónicos, la reutilización de los elementos esenciales del Mecanismo “Conectar Europa”, el Marco

Europeo de Interoperabilidad, el Plan progresivo de normalización de las TIC el Plan de acción sobre tecnología financiera, Horizonte Europa o los trabajos del Observatorio y Foro de la Cadena de Bloques de la UE (Blockchain) y otras iniciativas en materia de riesgos vinculados con el fraude y la ciberseguridad[262]. Asimismo, debe tenerse en cuenta que en estos marcos de desarrollo del nuevo mercado único digital que se está estableciendo en la UE y en el establecimiento de la Identidad Digital Única de la UE como parte del desarrollo de aquel, estas cuestiones nos van a llevar al planteamiento de la residencia electrónica.

Por otro lado, en relación a la residencia electrónica, debemos tener en cuenta que el objetivo de la Identidad Digital Única es el reconocimiento mutuo de las identificaciones electrónicas autenticadas por un Estado miembro en otro, para permitir transacciones comerciales y no comerciales internacionales remotas en la UE. Según el programa, las personas y empresas de la UE, independientemente de su nacionalidad o lugar de residencia en la Unión, podrán realizar transacciones en línea sin problemas, ya sean

---

262 ALAMILLO DOMINGO, I., "The future of public administration through the use of blockchain technology", *European review of digital administration & law*, Vol. 2, Nº. 2, 2021, pp. 5-6.

de carácter público o privado, de manera segura y fiable. En este sentido, como comenta la Profa. DIAGO DIAGO[263]: "puede parecer atrevido, desde postulados propios de un segundo entorno (sociedad industrial), pero desde el tercer entorno (espacio virtual), en el que las relaciones aparecen mediadas tecnológicamente, la residencia digital pudiera ser un criterio a tener en cuenta". Así pues, en un contexto tecnológico la nacionalidad, en concurrencia con la residencia habitual, como criterios de conexión, en el reconocimiento de la autonomía de los sujetos a la hora de configurar el propio estatuto personal, nos lleva a plantear la residencia electrónica, como criterio de conexión, junto con la identidad electrónica.

Actualmente, la dificultad a la hora de determinar dónde está ubicado un individuo, que va a realizar cualquier tipo de transacción informática, causa una considerable incertidumbre jurídica. Si bien ese peligro siempre ha existido, el carácter global que tiene internet ha hecho más difícil que nunca la determinación de la ubicación. Esta incertidumbre tiene consecuencias jurídicas claras y evidentes.

---

263 DIAGO DIAGO, Mª.P., "La residencia digital como nuevo factor de vinculación en el Derecho Internacional Privado del Ciberespacio ¿posible conexión de futuro?", Diario LA LEY, núm. 8432, 2014.

La identidad electrónica ha tomado una nueva dimensión. En un entorno en línea la identidad de la parte remota es más importante que nunca[264]. La identidad digital es valiosa, multifuncional y compleja. En la actualidad, normalmente, administramos múltiples versiones de nosotros mismos, que se hacen visibles en rutas digitales distribuidas ampliamente en espacios fuera de línea y en línea. Este hecho nos lleva a un nuevo desafío que se presenta a nivel mundial, que se manifiesta ante las posibles violaciones masivas de datos en línea y las tecnologías de identificación automatizadas[265], que también resaltan el enigma al que se enfrentan los gobiernos sobre cómo salvaguardar los intereses de las personas en la Web y al mismo tiempo lograr un equilibrio justo con intereses públicos más amplios.

Dicho lo anterior, pensemos que la concepción de la identidad, representada en un contexto, como podría ser dentro de un pequeño pueblo, es lo que representa y nos hace identificable dentro de un conjunto de personas y mientras más viva más nos conoce

---

264 MERCHÁN MURILLO, A., *Firma electrónica: funciones y problemática*, Aranzadi, Pamplona, 2016, p. 215.

265 SULLIVAN, C.; BURGER, E., "E-residency and blockchain", *Computer Law & Security Review*, 2017, vol. 33, núm. 4, pp. 470-481.

la gente, ya sea por el "mote" o por las actividades que desarrollo en ese pueblo. En contraste, la ley concibe habitualmente a los ciudadanos como poseedores de una sola identidad (el DNI). Sin embargo, el contexto en el que vivo en la mayoría de los casos me va a permitir que no sea necesario identificarme, porque ya saben quién soy.

Lo anterior, nos lleva a encuadrarnos en el mundo digital, pensemos que la tecnología influye en cómo nos presentamos y cómo los demás nos identifican, lo cual nos lleva obligatoriamente a tratar la autenticación de la identidad, no sin antes tener en cuenta que mientras más páginas Web visito, más datos de mi hay en la red y, al mismo tiempo, más registros puedo realizar en ellas (pensemos en las cookies).

Asimismo, cuando hablamos de autenticación de la identidad electrónica nos lleva a la necesidad de verificar la identidad. Donde aparece la gestión de la identidad, que como ha señalado la Comisión Europea, constituye un elemento clave en el establecimiento de relaciones de confianza para el comercio electrónico, el gobierno electrónico y muchas otras interacciones sociales.

En este contexto, suele aparecer un sistema de gestión de la identidad centrado en el usuario, siendo aquí donde aparece la UE otorgando a la ciudadanía un estatus, en nuestra opinión, a través de la e-identidad y la e-residencia como criterios de conexión, porque, por ejemplo, una persona puede tener su centro de intereses también en un Estado miembro en el que no resida habitualmente, pero también se debe tener en cuenta la ubicación (residencia) de los datos y/o cómo se identificó a la persona en internet, observando que, por ejemplo, la repercusión de un contenido publicado en Internet sobre los derechos de la personalidad de una persona puede ser apreciada mejor por el órgano jurisdiccional del lugar desde donde entra a la plataforma en la que se identifica electrónicamente y/o desde el lugar en el que residan sus datos.

Habida cuenta de la aceleración en la digitalización, los Estados miembros han implantado o están desarrollando sistemas nacionales de identidad electrónica que incluyen carteras digitales y marcos de confianza nacionales destinados a la integración de atributos y credenciales[266]. En este contexto, surge importancia de la identidad digital fundacional o primaria y la identidad digital funcional o secundaria[267].

---

266 REINIGER, R. T., "The proposed international e-identity assurance standard for electronic notarization", *Digital evidence and electronic signature law review*, 2008, núm. 5, pp. 78 – 80.

267 UNICTRAL, *Aspectos jurídicos relacionados con la gestión de la identidad y los servicios de confianza*, Nueva York, 2018, p. 5.

Para entender la diferenciación pensemos que en el mundo digital la tecnología influye en cómo nos presentamos y cómo los demás nos identifican, lo cual nos lleva obligatoriamente a tratar la autenticación de la identidad[268], que hemos comentado antes. En este contexto, nos situamos dentro de la que hemos denominado función de identificación, donde aparecen la identidad fundacional y la funcional. Las fundacionales son disponibles universalmente y se usan para una variedad de propósitos y, por ende, a menudo las proporcionan los gobiernos para que los ciudadanos puedan probar su identidad. Las funcionales son las creadas con un propósito específico y, por tanto, tienden a ser proporcionadas por una de numerosas entidades[269]. La determinación la identidad fundacional puede plantear cuestiones complejas relativas a la atribución de condición. No obstante, las identidades funcionales son las que van a estar presentes en las operaciones comerciales pueden depender, en todo o en parte, de una determinación propiamente funcional de la identidad[270].

---

268 SULLIVAN, C., "Digital identity – From emergent legal concept to new reality", *Computer Law & Security Review*, 2018, vol. 34, núm. 4, p. 723-731.

269 LYNCH, S., *Soluciones innovadoras de identidad digital móvil Inclusión financiera y Registro de Nacimientos*, GSMA, 2018, p. 3.

270 BANCO MUNDIAL, *ID4D Practitioner' Guide–World Bank Documents*, octubre, 2019, pp. 15 y 16.

Podemos decir que las fundacionales suelen ser las proporcionadas por los gobiernos nacionales, interesados en proporcionar un medio para que sus ciudadanos prueben quiénes son, por ejemplo, a través de registros civiles, DNI, pasaportes o certificados de nacimiento; mientras que las funcionales son las que se vinculan al uso o a la propia transacción, de tal manera que las consecuencias jurídicas reales de la comprobación de la identidad estarían determinadas por las circunstancias objetivas y demás circunstancias pertinentes de la operación de que se tratase[271]; es decir, es la identidad que está vinculada a las operaciones. Las cuestiones relacionadas con la identidad fundacional son de gran importancia, ya que será la ley de un determinado Estado la que va a determinar la esta identidad.

Es posible que la identidad fundacional no se utilice comúnmente como tal en las operaciones comerciales, aunque los proveedores de identidad pueden utilizarla para establecer la identidad funcional, véase el artículo 2,1 de la Ley Modelo de Firma Electrónica se dice que se identifique al firmante o el 3,2 del Reglamento eIDAS exigen que se identifique a la persona. En algunos

---

[271] UNCITRAL, *Cuestiones jurídicas relacionadas con la gestión de la identidad y los servicios de confianza*, Nueva York, 2018, p. 7.

casos, la identificación fiable del firmante puede basarse en la utilización de una credencial de identidad y un proceso de autenticación que establece la identidad sobre la base de credenciales de identidad fundacional. Por lo tanto, el reconocimiento jurídico de la identidad básica a través de fronteras y entre sistemas de gestión de la identidad va a resultar necesaria[272].

Conforme a lo anterior, puede observarse que la nacionalidad va a ser un elemento esencial a la hora de determinar la conexión del individuo, en relación a la identidad digital fundacional, que va a ser esencial para la transacción. Ahora bien, eso no debe llevarnos a error; pues, la residencia habitual, electrónica, va a ser determinante en la identidad funcional, ya que, como dice el Prof. RODRÍGUEZ BENOT: "en términos generales, los legisladores no deban descartar la utilización de uno o de otro criterio en la elaboración de sus sistemas de Derecho internacional privado"[273]. Ahora bien, si la regla de

272 UNCITRAL, *Observaciones explicativas relativas al proyecto de disposiciones sobre el reconocimiento transfronterizo de sistemas de gestión de la identidad y servicios de confianza*, Nueva York, 2019, p. 5.

273 RODRÍGUEZ BENOT, A., "El criterio de conexión para determinar la ley personal: un renovado debate en Derecho Internacional Privado", *CDT*, 2010, VOL. 2, pp. 186-202.

conflicto en un espacio judicial integrado, como el representado por la UE, en el que el vínculo de la, nacionalidad, por fuerza de la integración política que conlleva, se diluye, nos debe llevar a observar cómo se concretaría técnicamente la residencia electrónica.

Por otro lado, al referirnos tanto a la gestión de la identidad y a los sistemas de gestión de la identidad, a la que nos referiremos más adelante, nos situamos en lo que hemos denominado autenticación de la identidad. Por gestión de la identidad se entiende un conjunto de procesos que permiten gestionar la identificación, autenticación y autorización de personas físicas, personas jurídicas, dispositivos u otros sujetos en un contexto en línea[274].

Hasta hoy, las tecnologías de gestión de la identidad y el acceso se han centrado principalmente en la autenticación de los usuarios finales para el acceso federado a aplicaciones y servicios (en el modelo de acceso federado existen varios proveedores de servicios de identidad en los que los usuarios pueden confiar y que pueden gestionar la información parcial de la

---

274 UNCITRAL, *Cuestiones jurídicas relacionadas con la gestión de la identidad y los servicios de confianza Términos y conceptos relativos a la gestión de la identidad y los servicios de confianza,* Nueva York, 2018, p. 6

identidad de los usuarios en caso necesario. La información de la identidad del usuario en cada proveedor de servicios de identidad puede compartirse). Por lo tanto, el requisito de seguridad se limita al perímetro de sus dominios de aplicación; es decir, puede decirse que cuando una persona obtiene la identidad fundacional y la funcional, es como si en un ámbito electrónico se inscribiera para utilizar dichos servicios, creando una identidad electrónica, que puede vincularse a diversas cuentas, correspondientes a cada aplicación o plataforma. Ante esta inscripción, que realiza ante un prestador de servicios de confianza, que probablemente será público, si partimos de lo ya comentado con relación a la identidad fundacional, va a suponer el establecimiento de una relación de confianza entre las partes, actuales y futuras, ya que la creación de una identidad electrónica requiere conjugar estas relaciones bilaterales en un marco amplio que permita su gestión conjunta, que es donde se encuadra la gestión de la identidad[275], que va ser la piedra angular del desarrollo de toda la gama de servicios electrónicos, tanto para Estados, ciudadanos como para empresas. Como ejemplo, cabe destacar la emisión de tarjetas de e-Identificación en Estonia,

---

275 UNCITRAL, *Fomento de la confianza en el comercio electrónico: cuestiones jurídicas de la utilización internacional de métodos de autenticación y firma electrónicas*, Nueva York, 2007, p 32.

a partir de la aprobación de la "Isikut tõendavate dokumentide seadus" (Ley de documentos de identidad de 2014). Con ellas, los e-estonios[276], que no tiene por qué tener ni nacionalidad estonia, ni residencia física en el país, acceden a multitud de servicios online, así como a la firma digital.

Como puede observarse, la gestión de la identidad electrónica es una cuestión fundamental para la mayoría de las transacciones de comercio electrónico y otras actividades en línea. Tengamos en cuenta que, desde una perspectiva jurídica, la identidad de un individuo es la base sobre la que se construyen los derechos y obligaciones de las personas; pues, en una relación entre dos o más sujetos, por ejemplo, en un contrato, o en cualquier transacción con efectos jurídicos, se requiere una identificación de las personas que participan en ella como paso previo a su celebración. La identificación de las personas que intervienen en la transacción es un elemento esencial del acto jurídico, ya que el error sobre la identidad de la persona puede acarrear la nulidad del acto y, además, hace referencia tanto a los datos de identidad de una persona, como al acto y procedimiento de

[276] CUTHBERTSON, A., "Estonia First Country to Offer E-Residency Digital", *International Business Times,* 2014, pp. 21-40.

comprobación y acreditación de la identidad. De esta forma, podemos decir que las leyes, normalmente de derecho sustantivo y procesal, son las que definen los instrumentos y procedimientos que serán considerados válidos para la identificación de una persona[277].

Al estar definidas por las leyes nos vamos a encontrar problemas específicos, teniendo en cuenta la aplicación de los principios: a) de neutralidad tecnológica, ya que las partes deberán saber cuáles son los requisitos mínimos que deben reunir los sistemas, haciendo referencia a las propiedades de los sistemas y no a determinadas tecnologías, o si se opta por un criterio basado en las operaciones, puede ser necesario proporcionar orientación sobre los requisitos mínimos aplicables a las operaciones de identidad; b) autonomía de las partes, si bien ese principio puede aplicarse plenamente a los servicios comerciales, las partes están sujetas a las limitaciones que emanen de normas jurídicas imperativas (por ejemplo, protección de datos) y, además, su aplicación puede estar restringida, por razones de política,

---

[277] CENTRO LATINOAMERICANO DE ADMINISTRACIÓN Y DESARROLLO (CLAD), "Marco para la identificación electrónica social iberoamericana", *Aprobado por la XIII Conferencia Iberoamericana de ministros y ministras de Administración Pública y Reforma del Estado,* Asunción, 30 junio – 1 julio, 2011, p. 12.

en lo que respecta al acceso a servicios prestados por organismos públicos; y c) proporcionalidad entre los medios de identificación electrónica y la función para la que se utilizan, ya que la libertad de elección del tipo de servicio también está estrechamente relacionada con el principio de neutralidad tecnológica[278].

Debe tenerse en cuenta que la gestión de la identidad puede realizarse de diferentes formas, constituyéndose diversos tipos de sistemas de gestión de la identidad; es decir, en un entorno en línea utilizado para la gestión de la identidad que se rige por un conjunto de reglas de funcionamiento y en el que puede haber confianza recíproca entre individuos, organizaciones, servicios y dispositivos dado que fuentes autorizadas han establecido y autenticado sus identidades respectivas[279]. El sistema de gestión de la identidad se utiliza para resolver cuestiones de seguridad y confidencialidad de la información transmitida por Internet, existiendo con ello distintos tipos. Los más relevantes son: los centrados en la aplicación y

---

278 UNCITRAL, *Informe del Grupo de Trabajo IV (Comercio Electrónico) sobre la labor realizada en su 57° período de sesiones*, Viena, 2017, p. 8.

279 UNCITRAL, *Cuestiones jurídicas relacionadas con la gestión de la identidad y los servicios de confianza Términos y conceptos relativos a la gestión de la identidad y los servicios de confianza*, Nueva York, 2018, p. 7.

los centrados en el usuario. Los que se centran en la aplicación son los aquellos suyos servicios y políticas en materia de identidad han sido concebidos para satisfacer los requisitos de los proveedores de servicios de identidad y optimizados para los requisitos de las aplicaciones. Un proveedor de servicios presta un servicio de identidad al usuario y el intercambio de identidad suele tener lugar entre esas dos entidades. Los centrados en el usuario, permiten al usuario el control pleno de su identidad; es decir, se concentra y optimiza para los usuarios finales. Esto conlleva que su objetivo principal del sistema de gestión sea proporcionar servicios de identidad convenientes y completos a los usuarios.

En el marco normativo europeo actual encontramos un sistema de gestión de la identidad centrado en la aplicación, tal y como aparece en el Reglamento eIDAS[280]; es decir, un sistema en el que existen un proveedor de servicios de identidad y una parte confiante. De esta forma, se hace necesaria la aparición del citado prestador de servicio de identidad, que puede identificarse como una entidad que va a tratar con la

280 COMISIÓN EUROPEA, *Plan de acción sobre la firma electrónica y la identificación electrónica para facilitar la prestación de servicios públicos transfronterizos en el mercado único (COM (2008) 798 final)*, Bruselas, 28 de noviembre de 2008.

identidad de la transacción, no con el individuo, en el sentido de que realmente los contratos se van a hacer con esa identidad, una identidad que se compone de información almacenada digitalmente, otorgando al sistema autenticidad. Ahora bien, existe otro tipo de sistema de gestión de identidad centrada en el usuario, es decir, que los servicios y políticas en materia de identidad van a ser concebidos para satisfacer los requisitos de los proveedores de servicios de identidad y optimizados para los requisitos de las aplicaciones, por ejemplo, el suministro de la información de la cuenta de un usuario, que es el que parece que, definitivamente, se va a implantar con la propuesta de modificación del Reglamento eIDAS[281].

II. LA CAPACIDAD DIGITAL: UN BREVE PLANTEAMIENTO

Como sabemos, la capacidad jurídica, que equivale a personalidad, es la aptitud para ser sujeto de derechos y obligaciones (artículos 29 y 30 CC) y se rige por la Ley nacional de la persona física (artículo 9,1

---

281 Comisión Europea, *Propuesta de Reglamento del Parlamento Europeo y del Consejo por el que se modifica el Reglamento (UE) n.º 910/2014 en lo que respecta al establecimiento de un Marco para una Identidad Digital Europea*, Bruselas, 3 de julio de 2021.

CC), determinando, por tanto, cuándo y en qué condiciones una persona lo es o cuándo deja de serlo. La capacidad de obrar, entendida como la idoneidad que tiene un sujeto para realizar, de manera vinculante, actos jurídicos, se rige por su Ley personal o Ley nacional del individuo (artículo 9,1 CC)[282].

---

282 Con la Ley 8/2021, de 2 de junio, que adecuación de nuestro ordenamiento jurídico a la Convención internacional sobre los derechos de las personas con discapacidad, hecha en Nueva York el 13 de diciembre de 2006, se elimina la distinción entre capacidad jurídica y de obrar. Ahora bien, el abandona a la distinción entre capacidad jurídica y capacidad de obrar, hace necesario distinguir entre la capacidad jurídica y su ejercicio; y ello, para explicar la razón por la cual los contratos celebrados por ciertas personas son inválidos (anulables) (DE VERDA Y BEAMONTE, J.R. "Primeras resoluciones judiciales aplicando la Ley 8/2021, de 2 de junio en materia de discapacidad", *Diario La Ley, Nº 10021, Sección Dossier*, 3 de marzo de 2022). Ahora bien, en el ámbito comparado se mantiene la distinción entre capacidad jurídica y de obrar ya que tiene perfiles claros y precisos, a la vez que ha sido unánimemente aceptada por la doctrina y la jurisprudencia (DE VERDA Y BEAMONTE, J.R. "¿Es posible seguir distinguiendo entre capacidad jurídica y capacidad de obrar?", *IDIBE*, 30 de septiembre de 2021. Puede consultarse en: https://idibe.org/tribuna/posible-seguir-distinguiendo-capacidad-juridica-capacidad-obrar/ (Fecha de consulta 30 de junio de 2025.).

Acto seguido, pensemos, ¿podemos hablar de una capacidad digital? Entendida ésta como el conjunto de conocimientos, habilidades, actitudes y estrategias que se requieren para el uso de los medios digitales y de las tecnologías de información y comunicación. Esta capacidad digital podría plantear que seamos o no sujetos de derecho y obligaciones, por la transacción electrónica que realizamos.

En este contexto, nos encontramos con dos problemas de envergadura a los que debemos dar respuesta. Por un lado, con respecto a la capacidad digital con los residentes extranjeros en España, con los que se van a plantear problemas, parecidos a los que se plantean respecto a la capacidad de obrar, en relación al reenvío, a la prueba de derecho extranjero y a la excepción de orden público. Por otro lado, con respecto a los propios conocimientos, habilidades, actitudes que se relacionan, en definitiva, al funcionamiento tecnológico y a la transacción electrónica que se quiere o pretende realizar, donde nos vamos observamos una serie de cuestiones a resolver, que se resumen en dos preguntas: ¿sabe para qué sirve un ordenador, servidor, plataforma digital, firma electrónica, etc.? En caso de ser la respuesta afirmativa, nos lleva a plantear la otra ¿Sabe cómo funciona? En relación al software, hardware, algoritmo, etc. Y con ello en relación a las consecuencias que acarrea el buen o mal hacer de la persona que realiza el acto o con el funcionamiento del sistema electrónico utilizado, donde podríamos encontrar hasta con una *probatio diabólica* en la norma respecto a la parte débil (puede observarse una en el artículo 11 de la Ley 6/2020, de 11 de noviembre, reguladora de determinados aspectos de los servicios electrónicos de confianza[283], donde se pide al usuario, para evitar la responsabilidad a la hora de firmar electrónicamente un documento, que demuestre que no actuó negligentemente).

Conforme a lo anterior, podemos poner un ejemplo, la firma manuscrita es un acto personalísimo, se hace de puño y letra por la persona que dice ser, porque además puede demostrarlo, ya sea con el DNI o porque la persona que está delante corrobora que así es. No obstante, la firma electrónica o digital es escindible, puede ser usada por un tercero con el consentimiento de su titular, bien porque no sepa usarla o bien no tenga el medio adecuado para usarla, planteándose un problema de interoperabilidad (semántica, organizativa, técnica o jurídica). Aunque la cesión de la firma electrónica, salvo que haya un poder notarial, es un acto prohibido por la norma[284],

---

283 BOE, núm. 298, de 12 de noviembre de 2020

284 Los certificados electrónicos son de uso personal e intransferible. En consecuencia, el hecho de que el titular/firmante de un certificado electrónico expedido a su nombre transfiera su posesión y revele sus claves de

si bien es algo que se suele hacer en la práctica. Asimismo, hay que destacar que la firma electrónica o digital se refiere a la identidad electrónica o digital, pero no a la capacidad; o, dicho de otra manera, podría servir para identificar personas, pero en ningún momento la firma electrónica sirve para comprobar la capacidad del firmante, en este sentido la firma es simplemente una manifestación gráfica del consentimiento. Sin embargo, es el consentimiento el que provoca la validez del negocio y no la firma; así pues, debe tenerse en cuenta que lo realmente importante no es la firma en sí, sino el contenido que se asocia a ella como manifestación de un acto de voluntad. En este sentido, puede afirmarse que, en un contrato o cualquier transacción realizada en forma electrónica, si una de las partes no ha sido quien ha firmado el documento, sino un tercero, a quien se le ha prestado la firma electrónica para que la firme, no puede decirse que haya prestado su consentimiento, pues ese acto está prohibido, como decimos.

---

acceso a un tercero, no es conforme con la legislación vigente, nacional y comunitaria. De esta forma, el titular puede poner en riesgo de padecer posibles fraudes. De hecho, el Reglamento UE 910/2014 y la Ley 59/2003 de firma electrónica, ya derogada, recogen que "los datos de creación de firma son los datos únicos, como códigos o claves criptográficas privadas, que el firmante utiliza para crear la firma electrónica".

En relación a lo anterior, la capacidad de obrar, como hemos dicho anteriormente, vendría determinada por su nacionalidad conforme al artículo 9,1 CC. No obstante, aquí puede surgir el problema de la ubicación de las partes y, con ello, la necesidad de identificar la residencia electrónica, porque una cuestión importante a la hora de realizar cualquier tipo de transacción es que las partes puedan determinar su ubicación, facilitando así, entre otros elementos, la determinación del carácter internacional o nacional de una transacción, operación y del lugar de la formación del contrato, especialmente, si nos situamos en el metaverso.

Actualmente, la dificultad a la hora de determinar dónde está ubicada una parte que realiza una operación informática causa una considerable incertidumbre jurídica. Si bien ese peligro siempre ha existido, el alcance mundial del comercio electrónico ha hecho más difícil que nunca la determinación de la ubicación. Esta incertidumbre podría tener notables consecuencias jurídicas, para el derecho internacional privado.

En este contexto, podría pensarse, por ejemplo, que se elimina tal problema en el momento que se incluye en el texto del contrato la obligación positiva de las partes de revelar la ubicación de sus establecimientos o de proporcionar otra información. No obstante, si no se incluye tal obligación, o la información resulta no ser verdad, habría un problema mayor, que vendría con la determinación de las consecuencias del incumplimiento de tal obligación en un contexto internacional. Es por ello por lo que nace la necesidad de determinar la residencia electrónica como elemento clave.

Para la determinación de la residencia electrónica como criterio de conexión debe usarse, como hemos comentado, la identidad electrónica que puede utilizarse para cumplir la obligación de verificar determinados atributos de la identidad de una persona, como la edad o el domicilio, capacidad, etc. tal como se exige para la identificación física. En tal sentido, dado que el concepto de "identidad" se define en función del "contexto", que a su vez determina los atributos necesarios para la identificación, será ésta última la que, de una satisfactoria solución a la necesidad de verificación de los atributos de una persona, en un contexto electrónico. De esta forma, a través de esta reflexión, observaremos, en adelante, si el criterio para determinar la capacidad digital tiene que ser la nacionalidad o si puede ser directamente la residencia habitual y, de ser esta última, cómo se concretaría técnicamente.

III. LA IDENTIDAD EN LAS COMUNICACIONES ELECTRÓNICAS

En los casos de identidad errónea nunca mencionan la responsabilidad de la persona en cuya identidad confió. En este punto, debe tenerse en cuenta que la parte que confía en la identidad de otra persona forma parte del contrato, y por ello actúa sobre la base de hecho jurídico propuesto, por lo que el actuar debe interpretarse con amplitud de modo que abarque no sólo un acto positivo sino también una omisión.

En este punto, debe tenerse en cuenta, si partimos de la LMFE que establece que serán de cargo de la parte que confía las consecuencias jurídicas que entrañe el hecho de que no haya tomado medidas razonables para: a) verificar la fiabilidad de la firma electrónica; o b) cuando la firma electrónica esté refrendada por un certificado: i) verificar la validez, suspensión o revocación del certificado; y ii) tener en cuenta cualquier limitación en relación con el certificado.

Por ello, debe tener presente la cuestión de si existe confianza y si esta es razonable habida cuenta de las circunstancias y hasta qué punto es razonable. El establecimiento de una norma de conducta en virtud de la cual la parte que confía en una firma debe verificar la fiabilidad de la firma con los medios disponibles puede considerarse esencial para el desarrollo de cualquier sistema, aunque en cualquier caso no se puede exigir la observación de limitaciones ni la verificación de información que no sean fácilmente accesibles para la parte que confía en la identidad de otra persona.

Por otro lado, debe abarcarse cualquier circunstancia ya que la "parte que confía en la firma" puede ser cualquier persona, independientemente de si tiene una relación contractual con el firmante o con el prestador de servicios de certificación. Cabe incluso la posibilidad de que el prestador de servicios de certificación o el propio firmante pase a ser una "parte que confía en una firma". Sin embargo, ese concepto amplio de "parte que confía en una firma" no debe implicar que el suscriptor de un certificado esté obligado a verificar la validez del certificado que obtenga del prestador de servicios de confianza.

Tengamos en cuenta que, en la mayoría de los casos, en la práctica, en los que se contrata a través de una web, se requiere un registro electrónico, también cuando se inicia algún procedimiento con la administración e, incluso, cuando se hace inscribe para el uso posterior de una cuenta de correo electrónico (véase por, por ejemplo, como PayPal te hace rellenar un formulario y vincularte con una cuenta de correo electrónico). Casi siempre se rellena un formulario en el que uno se identifica y se hace accesible a través de una dirección de correo electrónico que se indica previamente.

Con esa dirección acepto la recepción de documentos de pago (por ejemplo, facturas o algún tipo de comprobante de que la compra se ha efectuado), confirmación de pedidos, confirmación de pagos, se permite hacer un seguimiento de los productos que se han adquirido, etc. Ante esto, resulta difícil no quedar obligado por las circunstancias. Posteriormente, el documento firmado y enviado, incluso cuando es en formato digital, a veces, requiere la comparación con un estándar digno de confianza; o sea, con el original[285].

La referencia al original es, simplemente, el objeto con el que se acuerda con la otra parte confiar y autenticar en comparación con otros objetos, que bien pueden ser objetos que me ha suministrado o bien e-mails que nos hemos enviado.

Solo de esta forma, llegamos a una referencia propia que nos da confianza. Esta referencia es la que nos lleva a pensar en que hay una identidad que se asocia al mensaje y esa identidad lo está declarando como válido. Porque se está reconociendo como válida la identidad de la otra persona que protege y defiende la inmutabilidad del documento objeto de confianza.

Ante la situación que se plantea y que coincide con la práctica real empresarial, no se hace necesaria tecnología alguna, basta con una promesa de que la información no va a cambiar en el tiempo. Así pues, se atiende a la importancia de la transacción, de manera

---

[285] HATFIELD, P.; CASAMENTO, G., "The essential elements of an effective electronic signature process", *Digital evidence and electronic signature law review*, octubre, 2009, núm. 6, págs. 83 – 97.

que cuando una empresa firma o hace una declaración electrónica de carácter contractual es porque la parte contratante piensa que le ha demostrado que es quien dice que ser.

Por consiguiente, la persona que confía en la firma, aunque surja el riesgo[286], en lo que al fraude se refiere, de que no es quien dice ser la otra persona, debe actuar en consecuencia: evaluando el riesgo y protegerse de la misma. Por ello, en el balance del riesgo está la confiabilidad, que nos llevará a una firma más fiable y/o más segura.

En la contratación presencial las partes tienen fácil la mutua identificación, o al menos el reconocimiento mutuo que aporta la presencia física. En los contratos electrónicos, las partes no están físicamente presentes y, además, con frecuencia se desconocen. Este hecho nos debe llevar a cubrir el hueco que provoca la escindibilidad entre la firma electrónica y su titular, pues se debe buscar la forma a través de la cual se garantice un título de legitimación en el uso de la firma electrónica[287], siempre que se utilice de buena fe.

---

286 SCHAPPER, P.R.; RIVOLTA, M.; VEIGA, J., "Risk and law in authentication", *Digital evidence and electronic signature law review,* octubre, 2006, núm. 6, pp.12- 18.

287 RODRÍGUEZ ADRADOS, A., "La firma electrónica y su utilización por un tercero" en *El documento electrónico: un reto a la seguridad jurídica* (Coord. García Más, F.J.), 2015, pp. 278 y ss.

Para ello, surge la necesidad de superar una visión del consentimiento contractual actual, centrado sobre el pilar de la voluntad subyacente. Las nuevas tecnologías invitan a profundizar en un consentimiento contractual fundado, no en la voluntad del declarante, sino en la responsabilidad o la asunción de los riesgos propios del "tráfico jurídico informático"[288] ; pues, desde un punto de vista jurídico, se le imputarán todos los efectos jurídicos al titular ya que, dejando al margen los supuestos delictivos de obtención fraudulenta de una firma electrónica, en la mayoría de los casos de cesión voluntaria de la firma electrónica sobre la base de la confianza en otra persona, será jurídicamente irrelevante que no haya sido el titular de la firma quien efectivamente la haya aplicado, ya que la persona confía en la que firma, aunque surja el riesgo[289] de que no es quien dice ser, debe actuar en consecuencia: evaluando el riesgo y protegerse del mismo. Por ello, en el balance del riesgo está la confiabilidad, que nos llevará a una firma más fiable y/o más segura[290].

---

288 CAVANILLAS MÚGICA, S., "Informática y teoría del Contrato" en *X años de encuentros sobre informática y Derecho* (Coord. Davara, M. A.), 1997, pp. 270 y ss.

289 SCHAPPER, P.R.; RIVOLTA, M.; VEIGA, J., "Risk and law in authentication", *Digital evidence and electronic signature law review,* octubre, 2006, núm. 6, pp. 12- 18.

290 MADRID PARRA, A., "Seguridad, pago y entrega en el comercio electrónico", *Revista de Derecho Mercantil,* núm.

El esquema habitual representado, representante y tercero (con independencia de que el representado pueda ser conocido o no). Con la firma electrónica es posible repetir dicho esquema tradicional, pero también suprimir de facto la representación, porque en relación con el tercero sólo existe el firmante y no dos sujetos. No aparece el representante de hecho, sólo directamente el representado como si estuviese actuando por sí.

Por ello, es importante cuestionar los elementos que contribuyen a la confianza y la fiabilidad, para robustecer los pilares fundamentales que sustentan la buena fe en la transacción. Por ello, debemos preguntarnos el por qué confiamos en alguien o un servicio, teniendo presente que, en asuntos electrónicos, la confianza se deriva de la fe en la confiabilidad de una persona o un sistema. Asimismo, en las operaciones electrónicas que se realizan por Internet, es necesario verificar la identidad del depositario de un sitio web, con objeto de poder comprobar que la web pertenece al sujeto de derecho que afirma estar a cargo de su funcionamiento y que él es, efectivamente, quién la administra.

En este punto, resulta importante que las partes se identifiquen correctamente al comienzo de las

---

241, 2001, pp. 1189-1264.

negociaciones, para evitar que se eximan de responsabilidad[291], por ejemplo, una muestra de la pretensión de exención de responsabilidad, en todos los ámbitos, se puede encontrar en eBay que establece que "*aunque utilizamos técnicas cuya finalidad es verificar la exactitud y veracidad de la información proporcionada por nuestros usuarios, la identificación de usuarios en Internet es difícil. eBay ni puede, ni confirma, ni asume responsabilidad alguna por garantizar, la exactitud o veracidad de las supuestas identidades de los usuarios o la validez de la información que nos proporcionen a nosotros o que publiquen en nuestros sitios*"[292].

La contratación electrónica tradicionalmente se realiza, bien por el intercambio de correos electrónicos, en los que la verificación del contenido del e-mail se produce antes que la verificación del remitente ya que estamos ante una relación comercial, se repite entre las partes y genera una confianza; o bien a través de páginas web en las que normalmente la voluntad se manifiesta a través de un formulario electrónico, elaborado por el prestador de servicios.

---

291 MADRID PARRA, A., "Contratación electrónica y protección de datos personales", *Revista de Contratación Electrónica,* Núm. 94, junio, 2008, págs. 3-84.

292 Información disponible en: https://pages.ebay.es/help/policies/user-agreement.html (Última consulta: 22 de junio de 2025)

En esta realidad, constituida por las tecnologías de la información, interesa todo lo relacionado con la identidad de los contratantes y la confidencialidad de sus datos personales, la existencia y validez de sus declaraciones de voluntad, la autoría e integridad de sus mensajes electrónicos y el no rechazo del mensaje en su origen y destino, todo encerrado en su seguridad y validez jurídica y en la existencia del documento electrónico, así como su autenticación a través de la firma electrónica.

La importancia de la identidad electrónica es total para garantizar: que la persona que va a firmar es quien dice ser, ya que puede probarlo, así como la capacidad de obrar y la libertad de la actuación, a la hora de asumir el contenido del documento[293]. No olvidemos que la firma electrónica no puede garantizar la identidad de la persona ni si se ha utilizado o no con o sin consentimiento, por lo explicado anteriormente respecto a la escinbilidad de la firma electrónica. No obstante, si podemos afirmar que estas firmas pueden ser signos de identidad, porque sabemos que forzosamente son atributos de identidad.

---

[293] MADRID PARRA, A., "La identificación en el comercio electrónico", *Revista de Contratación Electrónica,* núm. 15, abril 2001, pp. 3-60.

Tengamos presente que, hoy día, como hemos dicho anteriormente, nos hemos acostumbrado a realizar transacciones electrónicas, con carácter comercial o no, sin preguntarnos si los procesos y/o procedimientos electrónicos son suficientemente seguros, basta con que nos brinden un determinado nivel de seguridad, que otorga un cierto nivel de utilidad y "confianza" subyacente[294]. Lo cierto es que se presta muy poca atención a los procesos subyacentes, que recopilan la información y los datos utilizados para garantizar, por ejemplo, que somos quienes decimos que somos; pues, cuando una persona se inscribe para utilizar un determinado servicio electrónico, se crea una identidad electrónica. La creación de esta identidad electrónica supone establecer una relación de confianza mutua entre una persona y otra, lo que requiere conjugar estas relaciones bilaterales en un marco de confianza.

Ahora bien, en esta era de phishing, piratería informática, ingeniería social y robo de identidad, la respuesta a la pregunta "¿Quién es usted?" ha tomado una nueva dimensión. En un entorno en línea autenticar la identidad de la parte remota es más importante que nunca. Desempeña un papel clave en la lucha contra el fraude de identidad y, además, es esencial

---

294 SALINAS HINOJOSA, F. D., "Tokens De Seguridad", *Revista de Información, Tecnología y Sociedad*, nº 8, La Paz, jun. 2013.

para establecer una confianza necesaria que facilite cualquier tipo las transacciones electrónicas.

En este punto, conviene destacar que verificar la identidad de una persona o entidad que busca acceso remoto a un sistema corporativo de computación en nube, que crea una comunicación electrónica o que firma un documento electrónico, es lo que se llama "gestión de identidad"[295], que puede ser es bien proceso de reunión, verificación y validación de información de atributos adecuada acerca de un sujeto concreto (persona física, persona jurídica, dispositivo u otro tipo de entidad) para definir y confirmar su identidad en un contexto específico[296]; bien el proceso mediante el cual se valida y verifica información suficiente como para confirmar la identidad alegada por la entidad; o bien el proceso mediante el cual la autoridad de registro obtiene y verifica suficiente información para identificar una entidad con un nivel de garantía especificado o tácito.

---

295 UNICTRAL, *Cuestiones jurídicas relacionadas con la gestión de la identidad y los servicios de confianza. Términos y conceptos relativos a la gestión de la identidad y los servicios de confianza,* Nueva York, 24 a 28 de abril de 2017, pp. 6.

296 La identidad puede comprobarse mediante la aseveración realizada por la propia entidad o mediante comparación con registros existentes; y se entiende por "demostración de identidad.

La gestión de la identidad cada vez juega un papel más importante en el comercio en línea. Como ha señalado la Comisión Europea, la gestión de la identidad electrónica constituye un elemento clave para la prestación de cualquier servicio electrónico. Por otra parte, la identificación electrónica confiere a las personas que utilizan procedimientos electrónicos la garantía de que su identidad y sus datos personales no se utilizan sin autorización[297]. De esta forma, puede decirse que desempeña un papel clave en el establecimiento de relaciones de confianza para el comercio electrónico, el gobierno electrónico y muchas otras interacciones sociales.

Asimismo, es un componente esencial de cualquier estrategia, para proteger los sistemas de información y las redes, los datos financieros, la información personal y otros activos contra el acceso no autorizado o el robo de identidad. Entre las ventajas[298] de ésta pueden figurar desde la perspectiva del prestador, mejoras de

---

297 COMISICÓN EUROPEA, *Plan de acción sobre la firma electrónica y la identificación electrónica para facilitar la prestación de servicios públicos transfronterizos en el mercado único (COM (2008) 798 final)*, Bruselas, 28 de noviembre de 2008, p. 11.

298 UNCITRAL, *Fomento de la confianza en el comercio electrónico: cuestiones jurídicas de la utilización internacional de métodos de autenticación y firma electrónica*, Viena, 2009, párr. 131 y ss.

la seguridad, la facilitación del cumplimiento de las normas pertinentes y la agilización de las operaciones comerciales, así como, desde el punto de vista del usuario, la facilitación del acceso a la información.

Visto lo anterior, puede concluirse que la gestión de la identidad y los propios procedimientos de identificación pueden servir de base para la definición de los niveles de confianza de los sistemas de identificación. Esos niveles de confianza podrían revestir la máxima importancia en la reglamentación de la interacción entre diferentes agrupaciones de confianza[299].

A la hora de elegir contratar electrónicamente con un individuo, en concreto, debemos centrarnos en las características especiales que tiene la propia transacción que vamos a realizar. Los problemas legales resultantes pueden evaluarse como parte del modelo de la oferta y la aceptación de la misma o desde la perspectiva de la doctrina del error, teniendo presente que el error, en particular, en los aspectos tecnológicos de los errores están relacionados con la identidad de la otra parte contratante y que en el comercio electrónico, las identidades están incorporadas en la información, no en el sujeto en sí.

---

299 UNCITRAL, *Cuestiones jurídicas relacionadas con la gestión de la identidad y los servicios de confianza*, Nueva York, 24 a 28 de abril de 2017, pág. 7.

Las transacciones ocurren en una red abierta, que se hacen inherentemente inseguras. Por ello, es necesario evaluar los enfoques existentes para los casos en los que pueda darse una identidad errónea. Resulta inevitable dar cuenta de ello; pues, el hecho de identificar a la persona física real que hay detrás de un clic o un correo electrónico puede ser difícil, ya que los problemas de identificación se discuten tradicionalmente junto con la atribución, no con la intención.

La atribución se centra en la responsabilidad de un acto, la intención se relaciona con la existencia de un contrato. Tanto la atribución como la intención de contratar, con una persona en concreto, requieren la capacidad de identificar a esta persona.

La atribución es predominantemente una cuestión de prueba, pero antes de preguntar quién es responsable de la transacción, se debe establecer si existe un contrato. La presencia y el efecto de un factor de vicio deben tenerse en cuenta antes de, o al menos en paralelo, con cualquier discusión sobre responsabilidad contractual.

En nuestra opinión, un error en cuanto a la identidad es un error unilateral: si una parte está equivocada, la otra sabe del error o sabe que lo causó. En general, un error en cuanto a la identidad de la otra parte hace que un contrato sea anulable. En algunas circunstancias, sin embargo, dicho error puede invalidar el contrato *ab initio.* Podemos observar en este aspecto que el error en la persona, en virtud del artículo 1266 del Código civil es "*el error sobre la persona sólo invalidará el contrato cuando la consideración a ella hubiese sido la causa principal del mismo*".

Lo anterior incluye la identificación de la persona y la consideración errónea de las cualidades esta persona (importante en las relaciones obligatorias personalísimas). Por ello, debe observarse, como hemos dicho anteriormente, que resulta muy importante en la contratación electrónica, ya que las partes se encuentran ausentes y las declaraciones se realizan mediante programas de ordenador, por lo que la identificación de las partes es más difícil, siendo los mecanismos de identificación complejos, acudiéndose incluso a terceras personas para facilitar esta tarea. Desde la aparición de la firma electrónica se ha facilitado esta tarea.

No obstante, debe tenerse en cuenta que, aunque a menudo se presuma la autenticidad de un documento por el hecho de existir una firma electrónica, la firma por sí sola no "autentica" un documento.

Cabe que incluso los dos elementos, firma y autenticación, se puedan separar, según las circunstancias. De esta forma, una firma puede mantener su "autenticidad" incluso si el documento en el que está puesta se ha alterado posteriormente. Igualmente, un documento podrá ser "auténtico" aunque la firma que contiene sea falsa. Además, si bien es cierto que la autoridad para intervenir en una operación y la identidad real de la persona de que se trate son elementos importantes para garantizar la autenticidad de un documento o firma, no quedan demostrados plenamente por la firma por sí sola, ni constituyen suficiente garantía de la autenticidad de los documentos o de la firma.

Esta observación conduce a otro aspecto de la cuestión que se está examinando actualmente: independientemente de la tradición jurídica de que se trate, una firma, con contadísimas excepciones, no es válida por sí misma. Su efecto jurídico dependerá del vínculo existente entre la firma y la persona a la que se atribuye la firma, resultando esencial un enfoque basado en resultados para lograr los diferentes niveles de garantía.

Pensemos que la firma es el nexo, el lazo que une un documento a una determinada persona, en el concepto que indica el mismo documento, y que por tanto vincula a dicha persona las declaraciones que el documento la atribuye. La verdadera función de la firma no es una función indicativa de la persona interviniente en el documento, función que generalmente no realiza, ni una función certificativa de esa indicación, que no verifica nunca, sino una función declarativa que en los documentos cartáceos de contenido negocial consiste en la declaración de la voluntad del autor del mensaje[300].

De esta forma, debe observarse que la identidad, en forma electrónica, ha surgido con avances tecnológicos, a veces necesarios, pues no debemos olvidar una cuestión clave: la falta de contacto personal y/o la falta de relación entre contratantes. Esto plantea una serie de problemas que afectan a la confidencialidad, a la fiabilidad, a la seguridad y, muy especialmente, a la identificación de los participantes.

En este sentido, es importante cuestionar los elementos que contribuyen a la confianza y a la fiabilidad, para robustecer los pilares fundamentales que sustentan la buena fe en la transacción. Por ello, debemos preguntarnos el por qué confiamos en alguien o un servicio, teniendo presente que, en asuntos electrónicos, la confianza se deriva de la fe en la confiabilidad de una persona o un sistema.

El error en cuanto a la identidad se distingue tradicionalmente del error en cuanto a los atributos. La opinión predominante es que el primero deja sin efecto un contrato, el último "sólo" anulable, aunque

---

300 GARCÍA MÁS, F. J., "Aspectos de las nuevas tecnologías en materia documental. Especial consideración en la función notarial" en *El documento electrónico: un reto a la seguridad jurídica* (Coord. García Más, F. J.), 2015, pp. 202 y ss.

ciertos atributos son percibidos como tan importantes que forman parte de la identidad de una persona y un error en cuanto a ellos puede invalidar el contrato. Estas circunstancias requieren revisión a la luz dentro de las características de las transacciones de comercio electrónico.

Debemos observar que por identidad electrónica se entiende la representación de una entidad en forma de uno o varios elementos de información que permiten distinguir suficientemente a las personas dentro del contexto. Por atributo se entiende un elemento de información o datos asociados a un sujeto. Ejemplos de atributos son, en el caso de una persona física, información como el nombre, la dirección, la edad, el sexo, el cargo, el sueldo, el patrimonio neto, el número de la licencia de conducir, el número de seguridad social, la dirección de correo electrónico, el número de teléfono móvil y datos como la presencia del sujeto en la red, el dispositivo utilizado por el sujeto, el domicilio habitual del sujeto tal como figure en una red, etc.; en el caso de una persona jurídica, el nombre comercial, la dirección de la oficina principal, la denominación social, la jurisdicción de registro, etc.; y, en el caso de un dispositivo, la marca y el modelo, el número de serie, la ubicación, la capacidad, el tipo de dispositivo, etc.[301].

---

[301] UNCITRAL, *Cuestiones jurídicas relacionadas con la gestión de la identidad y los servicios de confianza Términos y conceptos*

Al hilo de lo anterior, nos encontramos con la necesidad de comprobar la identidad de las partes, el control de la capacidad y de la legitimación para obrar, la voluntad de querer realizar el contrato, así como la necesidad de identificar al sujeto signatario, evitando la escisión de la firma, de su capacidad, de la libertad de actuación del signatario a la hora de asumir el documento, del conocimiento de todo el documento.

Insistimos en la escindibilidad de la firma electrónica, ya que no hay una conexión directa, a diferencia de lo que ocurre en la manuscrita, entre el sujeto, a través de su brazo, y el papel. Para poder firmar electrónicamente, por ejemplo, en el caso de la digital, es necesario tener una clave o pin de acceso, ya que sería imposible conocer la clave privada. Este pin de acceso puede ser utilizado por otra persona y firmar el documento electrónico.

Por ello, resulta esencial desarrollar un proceso de firma electrónica efectiva, a través del cual se tengan en cuenta los aspectos jurídicos y prácticos que lleven a tener presente una serie de riesgos, a partir de los cuales se permita ver qué medidas son necesarias para mitigar el riesgo de manera aceptable, para un proceso confiable; por ejemplo, para la compra

---

relativos a la gestión de la identidad y los servicios de confianza, Nueva York, 24 a 28 de abril de 2017, pp. 3.

de un libro barato, que, en un principio, no es el mismo o no tiene por qué ser tan seguro como para comprar; por ejemplo, un artículo costoso (una casa, un collar o unas gafas de sol de gran valor, maquinaria pesada, etc.) que puede conllevar a la autorización de una determinada información mucho más sensible, aunque partamos de la base de que toda información es sensible.

De esta forma, se trata de atender al riesgo que puede conllevar una operación, en el sentido de que es necesario para establecer un proceso de contratación electrónica poco arriesgado, como para poder permitir a las partes tener una visión subjetiva de los riesgos que tienen en juego; o sea, de las distintas posibilidades que tienen de actuar para, finalmente, determinar cuáles son los medios óptimos para mitigar cualquier miedo o riesgo que pueda surgir.

En muchos casos, la confianza se determina en la seguridad de los datos. La seguridad de los datos reviste una importancia crítica para el funcionamiento correcto y la fiabilidad de las transacciones de identidad, tanto desde el punto de vista de la protección de la confidencialidad de los datos personales presentes en esas transacciones como para garantizar el funcionamiento correcto y la fiabilidad de las comunicaciones de credenciales que constituyen la propia transacción.

Los escenarios de identidad erróneos[302] a menudo se caracterizan por cierto descuido, lo que debe suponer la necesidad de que se valore la asignación de riesgos y se evalúe si se ha actuado o no negligentemente. La intención de contratar con una persona en concreto debe evaluarse objetivamente; pues, la parte que alega el error debe tomar medidas razonables para autenticar a la otra parte, ya que el riesgo de que los hechos no sean los que él supone, o si simplemente es indiferente en cuanto al asunto al que se refiere el error, implica que la validez del contrato no pueda verse afectada.

Cualquier esquema de identidad electrónica se basa en la premisa de que la identidad utilizada, para la realización de la transacción, es utilizada por el mismo individuo, si la entendemos como la representación de una entidad en forma de uno o varios elementos de información que permiten distinguir suficientemente a la entidad o entidades dentro del contexto[303].

---

302 BERROCAL LANZAROT, A. I., "Perfección del contrato en la ley 34/2002, de 11 de julio de servicios de la sociedad de la información y de comercio electrónico: la unificación de criterios", *Revista de la Contratación Electrónica,* núm. 100, enero 2009.

303 COLLINGS, T., "Some thoughts on the underlying logic and process underpinning Electronic Identity (e-ID)", *Information Security Technical Report,* Vol. 13, núm. 2, mayo, 2008, pp. 61 – 70.

Por ello, debe partirse de entrada que, en asuntos electrónicos, la confianza se deriva de la fe en la confiabilidad de una persona o en un sistema de identidad, momento en el que se determina que las circunstancias en que la confianza de una parte en una credencial de identidad es apropiada y razonable. El carácter razonable de la confianza de un parte puede afectar a una serie de cuestiones, por ejemplo, cuando se confía en una credencial de identidad errónea, hablamos de supuestos en los que, en ciertas circunstancias, debe considerarse que un mensaje emana del iniciador si el destinatario sabía o debiera haber sabido que el mensaje de datos no emanaba del iniciador[304].

Ahora bien, la manifestación de la voluntad o consentimiento vincula y genera obligaciones. Para que ello sea así es necesario conocer a quién corresponde una determinada manifestación, así como constatar que la manifestación conocida corresponde con lo efectivamente manifestado por el sujeto. Surgen así las cuestiones relativas a la identidad de las partes y al contenido del mensaje.

Al hilo de lo anterior, surge como cuestión esencial la gestión de la identidad y los servicios de confianza,

---

304 UNCITRAL, *Guía para la incorporación al derecho interno de la Ley Modelo de la CNUDMI sobre Comercio Electrónico*, Nueva York, 2002, pp. 151.

que requieren conjugar las relaciones bilaterales en un marco más amplio que permita su visión conjunta, con objeto de identificar quien realiza la transacción y como puede demostrarlo. La creación de una identidad electrónica requiere conjugar estas relaciones bilaterales en un marco más amplio que permita su gestión conjunta, en lo que se denomina gestión de la identidad.

En ausencia de una asociación natural entre la persona y la firma electrónica un tercero de confianza debe garantizar que pertenece a una persona específica. Al considerar el tema de la confianza, en las comunicaciones electrónicas, primero se debe pensar en la seguridad jurídica y técnica incorporada en los Proveedores de Servicios de Confianza, una categoría de profesionales cuya práctica se presenta dentro de un marco legal determinado. En segundo lugar, los propios servicios de confianza deben tener efectos legales indiscutibles, siempre que cumplan con los requisitos básicos exigidos. Este sistema contribuye a la fiabilidad del sistema[305].

En el actual entorno jurídico, los sistemas de gestión de la identidad y los servicios de confianza

---

305 UNCITRAL, *Guía para la incorporación al derecho interno de la Ley Modelo de la CNUDMI sobre Comercio Electrónico*, Nueva York, 2002, párr. 153.

están sujetos, por una parte, a los requisitos previstos en leyes redactadas para otros fines (por ejemplo, el código de comercio y el código civil; las leyes sobre protección de la intimidad); y, por otra, a acuerdos contractuales, cuya finalidad es garantizar el funcionamiento apropiado y la fiabilidad del sistema al definir las obligaciones de las partes.

Cuando hablamos de servicios de confianza toda una gama de servicios distintos cuya finalidad es promover la confianza en las operaciones electrónicas[306], incluidos, aunque no solo: el archivo digital; el registro de fecha y hora mediante sello electrónico; las firmas que corroboran el origen y la integridad del mensaje; el acuse de recibo; la garantía de la existencia de algo en un determinado momento; los sellos digitales; la autenticación de la dirección electrónica (por ejemplo, el localizador uniforme de recursos).

Los servicios de confianza pueden tener elementos en común con los servicios de gestión de la identidad. No obstante, también existen diferencias considerables, en particular a la luz de la función que se busca cumplir mediante cada servicio de confianza. En cualquier caso,

---

306 UNCITRAL, *Fomento de la confianza en el comercio electrónico: cuestiones jurídicas de la utilización internacional de métodos de autenticación y firma electrónica,* Viena, 2009, párr. 173 y ss.

se pretende ayudar a construir y probar la confianza y/o la confiabilidad en los sistemas informáticos.

La determinación de un marco legal o legislativo determinará las bases correctas para que cualquier persona realice cualquier transacción on-line sin problemas. Se trata de garantizar la seguridad del intercambio, transfronterizo o no, de documentos electrónicos a través de un marco legal predecible y, a ser posible, funcional, con objeto de poder promover la confianza en un entorno electrónico.

a. Los prestadores de servicio de confianza

En este punto, debemos destacar el camino marcado por la Unión Europea, a través del Reglamento 910/2014 del Parlamento Europeo y del Consejo relativo a la identificación electrónica y los servicios de confianza para las transacciones electrónicas en el mercado interior y por la que se deroga la Directiva 1999/93/CE, que ha desarrollado determinados aspectos relacionados con los servicios de confianza, tratando de conseguir un adecuado marco de seguridad y confianza, necesario para realizar un marco de control de la actividad de los prestadores de servicios de confianza como pieza clave de todo el sistema.

La normativa a la que hacemos referencia es la siguiente: el Reglamento de Ejecución 2015/806 de la

Comisión, de 22 de mayo de 2015, sobre la forma de la marca de confianza de la UE para los proveedores de servicios de confianza cualificados, cuyo objetivo es fomentar la transparencia en el mercado; la Decisión de Ejecución 2015/1505 de la Comisión, de 8 de septiembre de 2015, por la que se establecen las especificaciones técnicas y los formatos relacionados con las listas de confianza de conformidad con el artículo 22, apartado 5, del Reglamento 910/2014; Decisión de Ejecución 2015/1506, de 8 de septiembre el año 2015, por la que se establecen las especificaciones relativas a los formatos de las firmas electrónicas avanzadas y los sellos avanzados que deben reconocer los organismos del sector público de conformidad con los artículos 27, apartado 5, y 37, apartado 5, del Reglamento 910/2014; Decisión de ejecución 2016/650 de la Comisión, de 25 de abril de 2016, por la que se establecen normas para la evaluación de seguridad de los dispositivos de creación de sellos y firmas cualificados.

A través de la citada normativa:

- Se trata de fomentar la confianza en servicios esenciales en línea, para que los usuarios se beneficien plenamente y confíen conscientemente en los servicios electrónicos, a través de marca o sello de confianza, que diferencie claramente los servicios de confianza cualificados de otros servicios de confianza.

- Se crean listas de confianza, esenciales para garantizar la certeza y generar confianza entre los operadores del mercado, ya que indican el estado del proveedor de servicios supervisión. Asimismo, se trata de fomentar la interoperabilidad de los servicios de confianza cualificados mediante la facilitación de la validación de las firmas electrónicas y los sellos electrónicos.
- Se trata de realizar especificaciones relativas a los formatos de firma electrónica avanzada y sellos avanzadas para ser reconocidos por organismos del sector público, asegurando la continuidad con los principios adoptados en virtud de la Directiva de servicios[307]. También se trata

---

307 Hay que tener presente que el objetivo de la Directiva de servicios (Directiva 2006/123/CE del Parlamento Europeo y del Consejo, de 12 de diciembre de 2006, relativa a los servicios en el mercado interior) es lograr el pleno potencial de los mercados de servicios en Europa al eliminar las barreras legales y administrativas al comercio. Las medidas de simplificación introducidas por la Directiva han aumentado la transparencia y han facilitado que las empresas y los consumidores proporcionen o usen servicios en el mercado único. La Directiva fue adoptada en 2006 e implementada por todos los países de la UE en 2009. La Comisión Europea está trabajando con los países de la UE para mejorar aún más el Mercado

de garantizar la neutralidad tecnológica al establecer un método para el uso de formatos no estandarizados.

- Se trata de establecer estándares para la evaluación de seguridad de firmas y dispositivos de creación de sellos calificados.

Asimismo, debe establecerse el régimen de responsabilidad de los proveedores de sistemas de identificación electrónica y servicios de confianza a fin de aportar a los agentes la claridad y la previsibilidad necesarias. La falta de claridad sobre la responsabilidad de las partes es un obstáculo importante para la promoción de la confianza en la utilización de la gestión de la identidad y los servicios de confianza. Las partes deben poder evaluar claramente los derechos y las obligaciones y determinar los riesgos.

Por otro lado, conviene citar el Reglamento de Ejecución de la Comisión Europea 2015/1502 sobre la fijación de especificaciones y procedimientos técnicos mínimos para los niveles de seguridad de medios de identificación electrónica con arreglo a lo dispuesto en el artículo 8, apartado 3, del Reglamento

---

Único de servicios (COMISIÓN EUROPEA, *Manual sobre la transposición de la Directiva de servicios*, Luxemburgo, 2007, pp. 8 y ss.).

910/2014, en el que figuran elementos que pueden ser pertinentes a efectos del proceso de examen relativo a la identificación electrónica.

A este respecto, todos los participantes que presten un servicio relacionado con la identificación electrónica contarán con prácticas y políticas de gestión de la seguridad de la información documentadas, metodologías de gestión de riesgo y otros controles reconocidos para proporcionar garantías a los órganos de control apropiados encargados de los sistemas de identificación electrónica de los respectivos Estados miembros de que se aplican prácticas eficaces. Todos los requisitos o elementos deberán entenderse como acordes a los riesgos en el nivel determinado.

Esos elementos son: la inscripción, la gestión de los medios de identificación electrónica, la autenticación y la gestión y organización. Cada elemento comprende varios elementos secundarios[308]. Los efectos jurídicos del examen o correlación son definidos por el sistema en el cual funciona el instrumento de gestión de la identidad, con relación a niveles de garantía y sus consecuencias jurídicas, que dan una orientación

---

308 UNCITRAL, *Aspectos jurídicos relacionados con la gestión de la identidad y los servicios de confianza*, Nueva York, 16 a 20 de abril de 2018, p. 5.

sobre las especificaciones y procedimientos que se deben aplicarse en el examen, así como también el alcance de esa orientación.

b. Notarios

En la contratación electrónica, tradicionalmente incardinada sobre el documento privado, la seguridad viene provista por un tercero de confianza, el prestador de servicios de confianza o de certificación, en la terminología usada por nuestra Ley.

No obstante, debe plantearse que la contratación también tiene lugar mediante documentos públicos, debiendo sopesarse por tanto las posibilidades y conveniencia, o no, de utilizar la fe pública notarial al servicio de la seguridad jurídica del comercio electrónico y, por tanto, dentro del proceso de la contratación electrónica[309].

A este aspecto se han manifestado los notarios[310], que proponen colaborar en el comercio electrónico, para mayor otorgar una mayor protección a los

---

309 COUTO CALVIÑO, R., "La intervención notarial en la contratación electrónica: Realidad o ficción", *Revista de la contratación electrónica*, núm. 91, 2008, pp. 55-81.

310 Información disponible en: www.notariesofeurope-congress2017.eu/es/ (última visita: 22 de febrero de 2025).

consumidores. Así, en la fase precontractual de los contratos online, los notarios realizaron propuestas como garantizar la conformidad con la legalidad comunitaria de las condiciones generales de los contratos online. En la fase contractual, los notarios podrían identificar a las partes y los medios que tienen a su disposición para realizar la transacción generando una mayor confianza. Asimismo, podrían ayudar a evitar que las empresas vendan productos o presten servicios a personas que quieren recibirlos sin estar legalmente capacitadas, como menores de edad o personas con la capacidad judicialmente modificada. De esta forma, la intervención notarial podría adoptar una función legitimadora y acreditativa de la realidad en relación al contenido de un contrato.

No obstante, la utilización transfronteriza de este sello se complicaría para el uso de transacciones transfronterizas; pues, las autoridades receptoras de un país extranjero suelen exigir alguna prueba de la identidad y la autoridad firmante. Por tradición, esos requisitos se cumplen por los denominados procedimientos de "legalización", en los que las firmas que figuran en documentos nacionales son autenticadas por las autoridades diplomáticas para su utilización en el extranjero. A la inversa, los representantes consulares o diplomáticos del país en el que se pretende utilizar los documentos también pueden autenticar las firmas de autoridades extranjeras en el país de origen.

En este punto podemos encontrar una solución a través del sistema de expedición de la apostilla electrónica según lo establecido en el Convenio sobre la Eliminación del Requisito de la Legalización de Documentos Públicos Extranjeros, hecho en La Haya el 5 de octubre de 1961, para sustituir las prescripciones vigentes por una forma simplificada y normalizada (la "apostilla"), que se utiliza para proporcionar la certificación de determinados documentos públicos en los Estados parte en el Convenio, teniendo en cuenta que la letra del Convenio sobre Apostilla no constituye un obstáculo al uso de tecnologías modernas, y que su aplicación y funcionamiento pueden mejorarse con la utilización de dichas tecnologías[311].

---

311 CONFERENCIA DE LA HAYA DE DERECHO INTERNACIONAL PRIVADO: *Conclusiones y recomendaciones de la comisión especial sobre el funcionamiento práctico del convenio sobre apostilla,* 2 a 4 de noviembre de 2016, pp. 7.

Conclusiones

La identidad electrónica se ha consolidado como una categoría transversal del Derecho internacional privado contemporáneo. Su análisis revela que no estamos únicamente ante una extensión digital de la identidad física, sino ante un instrumento jurídico-tecnológico autónomo que genera efectos propios en la determinación de la competencia judicial internacional, la ley aplicable y el reconocimiento de situaciones jurídicas en contextos transfronterizos.

En primer lugar, el estudio demuestra que la identidad electrónica no puede reducirse a un mero mecanismo de autenticación técnica. La progresiva incorporación de sistemas de identificación digital en los distintos ordenamientos, desde el Reglamento eIDAS en la Unión Europea hasta iniciativas como la residencia electrónica estonia, ha mostrado que se trata de una institución con valor normativo y con efectos plenos en el tráfico jurídico internacional. El reconocimiento de firmas electrónicas cualificadas, de sellos digitales y de medios de autenticación reforzada no solo garantiza la seguridad en las transacciones, sino que determina la validez y eficacia de los actos jurídicos más allá de las fronteras estatales.

En segundo lugar, se evidencia que la identidad electrónica constituye un factor de conexión emergente en el ámbito del Derecho internacional privado. Allí donde tradicionalmente se acudía a la residencia habitual, al domicilio o a la nacionalidad como puntos de anclaje de las normas de conflicto, hoy empiezan a surgir supuestos en los que la identidad digital funciona como referencia práctica para atribuir competencia o ley aplicable. Este fenómeno se observa especialmente en el ámbito contractual, en la contratación electrónica transnacional, pero también en contextos de estado civil y capacidad, donde la identidad digital permite verificar de manera inmediata datos esenciales de la persona.

El análisis de los distintos capítulos del libro también confirma la ambivalencia del reconocimiento internacional de la identidad electrónica. En el plano intraeuropeo, los Reglamentos y la jurisprudencia del Tribunal de Justicia de la Unión Europea muestran una tendencia clara hacia la aceptación automática de medios de identificación digitales notificados por los Estados miembros. En cambio, en el plano extracomunitario, el reconocimiento se encuentra condicionado por la inexistencia de un marco multilateral consolidado y por la disparidad de soluciones nacionales. Esta asimetría genera un espacio de incertidumbre que debe ser colmado mediante acuerdos internacionales y, en su defecto, a través de una interpretación flexible de la excepción de orden público internacional.

Asimismo, la obra ha puesto de relieve la proyección sectorial de la identidad electrónica en ámbitos tradicionalmente considerados ajenos a la tecnología. En el Derecho de familia, los acuerdos en formato electrónico en materia matrimonial abren la puerta a nuevas formas de autonomía conflictual, si bien plantean interrogantes sobre su autenticidad y sobre la protección de las partes más vulnerables. En el Derecho de sucesiones, la posibilidad de otorgar disposiciones mortis causa electrónicas —testamentos digitales, designaciones de beneficiarios en plataformas online— obliga a replantear las exigencias formales de validez y el control de la capacidad en un entorno electrónico. Incluso en materia de reputación digital y difamación online, la identidad electrónica se configura como el presupuesto indispensable para atribuir responsabilidad, verificar la autoría y articular remedios eficaces.

El recorrido realizado permite extraer una conclusión central: la identidad electrónica no solo refleja la transformación tecnológica del tráfico jurídico internacional, sino que actúa como catalizador de un nuevo paradigma conflictual. Si el Derecho internacional privado nació como respuesta a la movilidad de las personas y de los bienes, hoy se enfrenta al desafío de la movilidad digital de identidades, datos y algoritmos. Este tránsito obliga a superar los esquemas clásicos y a diseñar soluciones capaces de ofrecer seguridad jurídica sin renunciar a la innovación tecnológica.

Desde una perspectiva crítica, también es necesario advertir los riesgos y límites que plantea la identidad electrónica. La centralización de sistemas de identificación en manos de autoridades públicas o de proveedores privados suscita cuestiones de soberanía, control y dependencia tecnológica. El uso de algoritmos en la verificación de identidades electrónicas introduce sesgos y opacidades que pueden afectar al derecho a la igualdad y a la tutela judicial efectiva. Y, en el plano internacional, la ausencia de una infraestructura global común amenaza con fragmentar el reconocimiento y obstaculizar la circulación de actos jurídicos digitales.

De ahí que resulte indispensable una agenda de lege ferenda en tres direcciones principales. En primer lugar, a nivel europeo, la plena implementación del Reglamento eIDAS 2.0 debe ir acompañada de una coordinación con los instrumentos de Derecho internacional privado de la Unión (Bruselas I bis, Roma I, Roma II, Roma III, Reglamento 650/2012), para garantizar que la identidad electrónica se integre como factor operativo en la determinación de competencia y ley aplicable. En segundo lugar, en el plano internacional, la Conferencia de La Haya de Derecho internacional privado y la CNUDMI deberían avanzar hacia la elaboración de instrumentos multilaterales que reconozcan expresamente los efectos de la identidad electrónica, en línea con los convenios existentes sobre documentos públicos y cooperación judicial. Finalmente, en el ámbito nacional, los legisladores han de adaptar sus ordenamientos para evitar contradicciones entre las normas internas de derecho civil y mercantil y las exigencias derivadas de la identidad digital transfronteriza.

Por todo lo dicho anteriomente, la identidad electrónica constituye hoy un nudo central en la articulación del Derecho internacional privado en la era digital. Su estudio demuestra tanto las oportunidades como las tensiones que genera la transformación tecnológica del tráfico jurídico. Frente a quienes la contemplan como un fenómeno meramente técnico, este libro ha tratado de mostrar que nos hallamos ante un auténtico concepto jurídico estructural, llamado a desempeñar un papel equivalente al que en su día tuvieron la nacionalidad, la residencia o el domicilio. La identidad electrónica se erige, así, en el lenguaje jurídico del siglo XXI para expresar la pertenencia de las personas y de sus actos al espacio jurídico internacional.

Bibliografía

ABA IDENTITY MANAGEMENT LEGAL TASK FORCE, M*eeting Report*, 10 – 11 de diciembre, 2012.

ALAMILLO DOMINGO, I, *Identificación, firma y otras pruebas electrónicas: la regulación jurídico-administrativa de la acreditación de las transacciones electrónicas*, Ed. Aranzadi, Pamplona, 2019.

ALAMILLO DOMINGO, I., "el uso de los sistemas de identidad auto-soberana en el sector público español y de la unión europea", *Blockchain intelligence*, 2019

ALAMILLO DOMINGO, I., "La nueva Ley de Servicios de Confianza y la firma electrónica cualificada obtenida por videoconferencia: ¿una oportunidad para el despliegue de la Administración electrónica?", *Diario La Ley*, Nº 9740, 2020, pp. 3-22.

ALAMILLO DOMINGO, I., "The future of public administration through the use of blockchain technology", *European review of digital administration & law*, Vol. 2, Nº. 2, 2021.

ALAMILLO DOMINGO, I.; URIOS APARASI, X., "Comentario crítico de la Ley 53/2003, de 19 de diciembre, de firma electrónica", *Revista de la Contratación Electrónica*, núm. 46, febrero, 2004, pp. 3–64.

ALLENDE LÓPEZ, M., "La Identidad digital auto-soberana. El futuro de la identidad digital: auto-soberanía, billeteras digitales y Blockchain", *Alianza Global LACChain*, 2020, p. 31-32.

ALMILLO DOMINGO, I., SSI eIDAS Legal Report. How eIDAS can legally support digital identity and trustworthy DLT-based transactions in the Digital Single Market, Bruselas, abril, 2020.

AZIZ, A.; TELANG, R., "What Is a Digital Cookie Worth?", *SSRN,* marzo, 2016, pp. 3-37.

BANCO MUNDIAL, *ID4D Practitioner' Guide–World Bank Documents,* octubre, 2019.

BÁRCENA ZUBIETA, A., "La firma electrónica en México: entre la validez y la equivalencia funcional", *Revista del Instituto de la Judicatura Federal,* 2018.

BERROCAL LANZAROT, A. I., "Perfección del contrato en la ley 34/2002, de 11 de julio de servicios de la sociedad de la información y de comercio electrónico: la unificación de criterios", *Revista de la Contratación Electrónica,* núm. 100, enero 2009.

CALVO CARAVACA, A-L.; CARRASCOSA GONZÁLEZ, J., *Derecho Internacional Privado,* vol. II, 18ª Ed., Comares, Granada, 2018.

CÁMARA LAPUENTE, S., *La sucesión mortis causa en el patrimonio digital: una aproximación, conferencia dictada en el colegio notarial de Madrid,* salón académico, el 24 de enero de 2019

CARRASCOSA GONZÁLEZ, J., "El Derecho Internacional Privado Europeo: la auténtica Constitución Civil de la Unión Europea", *Revista Actualidad Civil,* septiembre, 2022.

CAVANILLAS MÚGICA, S., "Informática y teoría del Contrato", *X años de encuentros sobre informática y Derecho,* 1997, pp. 269-272.

CENTRO LATINOAMERICANO DE ADMINISTRACIÓN Y DESARROLLO (CLAD), "Marco para la identificación electrónica social iberoamericana", *Aprobado por la XIII Conferencia Iberoamericana de ministros y ministras de Administración Pública y Reforma del Estado,* Asunción, 30 junio – 1 julio, 2011.

CERRILLO I MARTÍNEZ, A., "A las puertas de la administración digital", *Instituto Nacional de Administración Pública,* 2016, p. 51.

COLLING, T., "Some thoughts on the underlying logic and process underpinning Electronic Identity (e-ID)", *Information Security Technical Report,* Vol. 13, núm. 2, 2008, pp. 61-70.

COMISIÓN EUROPEA, *Brújula Digital 2030: el enfoque de Europa para el Decenio Digital,* Bruselas, 9 de marzo de 2021.

COMISIÓN EUROPEA, *Commission Recommendation (EU) 2021/946 of 3 June 2021 on a Common Union Toolbox for a Coordinated Approach towards a European Digital Identity Framework,* 2021.

COMISIÓN EUROPEA, Comunicación de la Comisión al Parlamento Europeo, al Consejo, al Comité Económico y Social Europeo y al Comité de las Regiones Una Agenda Digital para Europa (COM/2010/0245 final), Bruselas, 19 de mayo de 2010.

COMISIÓN EUROPEA, *Comunicación de la Comisión: Europa 2020: Una estrategia para un crecimiento inteligente, sostenible e integrador,* Bruselas COM (2010) 2020 final.

COMISIÓN EUROPEA, *European Digital Identity Wallet Architecture and Reference Framework*, 2024.

COMISIÓN EUROPEA, Exposición de motivos de la Propuesta de Reglamento del Parlamento Europeo y del Consejo relativo a la identificación electrónica y de servicios de confianza para las transacciones electrónicas en el mercado interior, Bruselas, 4 de junio de 2012, COM (2012) 238 final.

COMISIÓN EUROPEA, *Manual sobre la transposición de la Directiva de servicios,* Luxemburgo, 2007.

COMISIÓN EUROPEA, *Plan de acción sobre la firma electrónica y la identificación electrónica para facilitar la prestación de servicios públicos transfronterizos en el mercado único (COM (2008) 798 final)*, Bruselas, 28 de noviembre de 2008.

COMISIÓN EUROPEA, *Propuesta de Reglamento del Parlamento Europeo y del Consejo por el que se modifica el Reglamento (UE) n.º 910/2014 en lo que respecta al establecimiento de un Marco para una Identidad Digital Europea*, Bruselas, 3 de julio de 2021.

COMISIÓN EUROPEA, *Trends in electronic identification an overview Value Proposition of eIDAS eID*, Bruselas, 2018

COMITÉ ECONÓMICO Y SOCIAL EUROPEO, Dictamen del Comité Económico y Social Europeo sobre la «Propuesta de Reglamento del Parlamento Europeo y del Consejo, relativo a la identificación electrónica y los servicios de confianza para las transacciones electrónicas en el mercado interior» [COM (2012) 238 final] (2012/C 351/16),

CONFERENCIA DE LA HAYA DE DERECHO INTERNACIONAL PRIVADO: *Conclusiones y recomendaciones de la comisión especial sobre el funcionamiento práctico del convenio sobre apostilla*, 2 a 4 de noviembre de 2016.

COUTO CALVIÑO, R., "La intervención notarial en la contratación electrónica: Realidad o ficción", *Revista de la contratación electrónica*, núm. 91, 2008.

CRUZ RIVERO, D., Eficacia probatoria de la firma electrónica, Ed. Marcial Pons, 2006.

CUERVA DE CAÑAS, J. A., "La propiedad intelectual en el mundo digital", en *Sociedad Digital y Derecho* (Tomás de la Quadra-Salcedo y Fernández del Castillo (Dir.), José Luis Piñar Mañas (aut.), Ministerio de Industria, Comercio y Turismo, 2018, pp. 719-740.

CUKIER, K. & MAYER-SCHOENBERGER, V., *Big Data. A Revolution that will transform how he live, work, and think,* Nueva York, 2013.

CUTHBERTSON, A., "Estonia First Country to Offer E-Residency Digital", *International Business Times,* 2014, pp. 21-40.

DE HERT, P., "The data protection regime in the EU: An effective tool for identity construction and management?", *Computer Law & Security Review,* 2012.

DE MIGUEL ASENSIO, P. A., "Mercado único digital y propiedad intelectual: las Directivas 2019/789 y 2019/790", *La Ley Unión Europea,* número 71, 2019.

DE VERDA Y BEAMONTE, J.R. "¿Es posible seguir distinguiendo entre capacidad jurídica y capacidad de obrar?", *IDIBE,* 30 de septiembre de 2021.

DE VERDA Y BEAMONTE, J.R. "Primeras resoluciones judiciales aplicando la Ley 8/2021, de 2 de junio en materia de discapacidad", *Diario La Ley, Nº 10021, Sección Dossier,* 3 de marzo de 2022.

DIAGO, M.ª., "La residencia digital como nuevo factor de vinculación en el Derecho Internacional Privado del Ciberespacio ¿posible conexión de futuro?", *Diario LA LEY,* núm. 8432, 2014, pp. 2-4.

DÍAZ MORENO, A., "Concepto y eficacia de la firma electrónica en la Directiva 1999/93/CE, de 13 de diciembre de 1999, por la que se establece un marco comunitario para la firma electrónica", *Revista de la Contratación Electrónica,* núm. 2, febrero, 2000.

DIXIT, A., "Towards user-centered and legally relevant smart-contract development: A systematic literature review", *Journal of Industrial Information Integration,* Vol. 26, marzo, 2022.

ERDOZÁIN LÓPEZ, J. C., "Firma electrónica, aspectos procesales, valor probatorio modelos de responsabilidad de los prestadores de servicios de certificación", *Revista Aranzadi Civil*, abril, 2013, pp. 55-85.

FERENCZ, O., *Digital Identity and Trust Services in the EU Law*, Springer, 2022.

FERRO, E., "Digital assets rights management through smart legal contracts and smart contracts", *Blockchain: Research and Applications*, junio, 2023.

FOSCH VILLARONGA, E.; KIESEBERG, P.; Li, T., "Humans forget, machines remember: Artificial intelligence and the Right to Be Forgotten", *Computer Law & Security Review*, vol. 34, núm. 2, 2018, pp. 304–313.

GARCIMARTÍN ALFÉREZ, F. J., "Reconocimiento de decisiones extranjeras y eficacia de actos jurídicos", en *Curso de Derecho internacional privado* (dir. Basedow), Aranzadi, 2020, pp. 205-211.

GARRIGA DOMÍNGUEZ, A., *Nuevos retos para la protección de datos personales en la era de las big data y de la computación ubicua*, Dykinson, Madrid, 2016.

GOMES DE ANDRADE, N. N., "Regulating electronic identity in the European Union: An analysis of the Lisbon Treaty's competences and legal basis for eID", *ScienceDirect Review*, vol. 28, núm. 2, 2012, pp. 153–162.

GOVERNMENT UNIT, DG INFORMATION SOCIETY AND MEDIA, EUROPEAN COMMISSION, The Modinis IDM Study Team: Modinis Study on Identity Management in eGovernment: Common Terminological Framework for Interoperable Electronic Identity Management, Version 2.01, 23 de noviembre de 2005.

HATFIELD, P.; CASAMENTO, G., "The essential elements of an effective electronic signature process", *Digital evidence and electronic signature law review,* octubre, 2009, núm. 6, págs. 83 – 97.

ILLESCAS ORTIZ, R., "Los principios de la contratación electrónica", en *Derecho patrimonial y tecnología: revisión de la contratación electrónica con motivo del Convenio de las Naciones Unidas sobre Contratación electrónica de 23 de noviembre de 2005 y de las últimas novedades legislativas* (Coord. Agustín Madrid Parra, María Jesús Guerrero Lebrón), Madrid, 2007, pp. 21-38.

ILLESCAS ORTÍZ, R., *Derecho de la Contratación Electrónica,* Cizur Menor, 2023.

JANEČEK, V., "Ownership of personal data in the Internet of Things", *Computer Law & Security Review,* núm. 34, 2018, pp. 1039-1052.

KNIGHT, A & SAXBY, S., "Identity crisis: Global challenges of identity protection in a networked world", *Computer Law & Security Review,* 2014, núm. 30, p. 617-632.

KUNER, Ch., "Transatlantic Data Privacy and the Lack of a US Identity Framework", *European Data Protection Law Review,* vol. 3, n.° 2, 2017, pp. 154–158.

KUTYŁOWSKI, M.; BŁAŚKIEWICZ, P., "Advanced Electronic Signatures and eIDAS – Analysis of the Concept", *Computer Standards & Interfaces,* 2023, núm.83.

LAFUENTE SUÁREZ, M., "La Ley de firma electrónica y la responsabilidad civil de los prestadores de servicios de certificación", *Revista Aranzadi de Derecho y Nuevas Tecnologías,* 2007, núm. 13-1.

LENAERTS, K., "La confianza mutua en la cooperación judicial en materia civil", *Revista de Derecho Comunitario Europeo,* n° 50, 2015.

LENAERTS, K., "La vida después de la Opinión 1/13: La autonomía del ordenamiento jurídico de la Unión y la cooperación internacional", *Revista General de Derecho Europeo*, n.º 37, 2015.

LYNCH, S., *Soluciones innovadoras de identidad digital móvil Inclusión financiera y Registro de Nacimientos*, GSMA, 2018.

MADRID PARRA, A., "Aprobación de la ley modelo de la CNUDMI / UNCITRAL para las firmas electrónicas", *La Ley: Revista jurídica española de doctrina, jurisprudencia y bibliografía*, Nº 1, 2002, pp. 1787-1788.

MADRID PARRA, A., "Contenido esencial de la Ley Modelo de la CNUDMI/UNCITRAL sobre Documentos Transmisibles Electrónicos", *Revista Aranzadi de derecho y nuevas tecnologías*, ISSN 1696-0351, Nº. 48, 2018, pp. 1-55.

MADRID PARRA, A., "Contratación electrónica y protección de datos personales", *Revista de Contratación Electrónica*, Núm. 94, junio, 2008, pp. 3-84.

MADRID PARRA, A., "Contribución de la CNUDMI/UNCITRAL a la regulación del comercio electrónico", *Revista Aranzadi de derecho y nuevas tecnologías*, Nº. 46, 2018, pp. 3-40.

MADRID PARRA, A., "La identificación electrónica", *Revista de la Contratación Electrónica*, abril, núm. 15, 2001.

MADRID PARRA, A., "La identificación en el comercio electrónico", *Revista de Contratación Electrónica*, núm. 15, abril 2001, pp. 3-60.

MADRID PARRA, A., "Ley modelo de la CNUDMI/UNCITRAL para las firmas electrónicas", Revista Aranzadi de Derecho Patrimonial, núm. 11, 2003, págs. 31-64.

MADRID PARRA, A., "Seguridad, pago y entrega en el comercio electrónico", *Revista de Derecho Mercantil*, núm. 241, 2001, pp. 1189-1264.

MADRID PARRA, A.: "Regulación internacional del comercio electrónico: examen comparado de las leyes modelo de UNCITRAL", *Revista Aranzadi de Derecho de las Nuevas Tecnologías,* núm. 2, 2003, págs.15-41.

MADRID PARRA, A.: "Seguridad en el comercio electrónico" en *Contratación y comercio electrónico,* (Dir. Orduña Moreno, F. Campuzano Laguillo, A.B. – Coord. Plaza Penadés, J.), Titant lo Blanch, Valencia, 2003, p. 139; en "La identificación en el comercio electrónico", R*evista de Contratación Electrónica,* núm. 15, abril, 2001, pp. 3-60; y en "Aspectos jurídicos de la identificación en el comercio electrónico", en *Derecho del Comercio Electrónico* (Dir. Illescas Ortiz, R.; Coord. Ramos Herranz, I.), Ed. Wolters Kluwer, Madrid, 2010.

MANTELERO, A.; VACIAGO, G.; , "The Common EU Approach to Personal Data and Cybersecurity Regulation.", *International Journal of Law and Information Technology,* 2012, núm. 28, pp. 297–328.

MARTÍNEZ NADAL, A., *Comentarios a la Ley 53/2003, de Firma Electrónica,* Civitas, Madrid, 2009.

MASON, S., "Electronic Signatures–Evidence: the evidential issues relating to electronic signatures", *Computer Law & Security Review,* mayo, 2002, vol. 18, núm. 3, pp. 175 – 180.

MASON, S., *Electronic Evidence,* University of London Press, Londres, 2021.

MATTA, L. F., "Contestación al discurso de instalación de la Profesora Olga Soler Bonnin", Real *Academia de Jurisprudencia y Legislación,* Puerto Rico, 2013.

MCKENNA, P., "The probative value of digital certificates: information assurance is critical to e-identity assurance", *Computer Law & Security Review,* 2004, num. 1, pp. 55 – 60.

MERCHÁN MURILLO, A., *Firma electrónica: funciones y problemática*, Aranzadi, Pamplona, 2016.

MIGUEL ASESIO, P. A., *Derecho Privado de Internet*, Ed. Aranzadi, 2023.

MILLAR, C.: "Blockchain and law: Incompatible codes?", *Computer Law & Security Review*, 2018, vol. 34, núm. 4, pp. 843-846.

PABÓN CADAVID, J., "Protección legal a los metadatos y la gestión digital de los derechos de autor", *Ius et Praxis*, Vol. 26, núm. 1, 2020, pp. 57-76.

PAREJO NAVAJAS, T., "Análisis de las figuras esenciales del régimen jurídico de la firma electrónica: la Ley 59/2003, 19 de diciembre, de firma electrónica", *Revista Electrónica de la Contratación*, núm. 70, 2006, pág. 3–32.

PASTOR SEMPERE, Mª. C., "Criptomonedas y otras clases de Tokens: aspectos mercantiles" en *Blockchain: Aspectos tecnológicos, empresariales y legales* (coord. Ramón Vilarroig Moya, Mª del Carmen Pastor Sempere, Madrid, 2018, pp. 151-190.

PINHO, D., "What about the usability in low-code platforms? A systematic literature review", *Journal of Computer Languages*, Vol. 74, enero 2023.

PINTO, M., "Interoperabilidad y reconocimiento internacional de la firma digital en Argentina", *Revista de Derecho Informático*, 2020.

PLAZA PENADÉS, J., "La firma electrónica y su regulación en el derecho español" en PLAZA PENADÉS, J., *Contratación y comercio electrónico*, Tirant lo Blach, Valencia, 2003, pp. 540-584.

PRICE, G, "The benefits and drawbacks of using electronic identities", *Information Security Technical Report*, mayo, 2008, vol. 13, núm.2, pp. 95 – 103.

PRINS, J.E.J., "The propertization of personal data and identities", *E.J.C.L.*, núm.8, 2004, pp. 53-65.

RAMOS FERNÁNDEZ, R., "Evaluation of trust service and software product regimes for zero-knowledge proof development under eIDAS 2.0", *Computer Law & Security Review*, Volume 53, July 2024.

REINIGER, R. T., "The proposed international e-identity assurance standard for electronic notarization", *Digital evidence and electronic signature law review*, 2008, núm. 5, pp. 78 – 80.

RODRÍGUEZ ADRADOS, A., "La firma electrónica y su utilización por un tercero" en *El documento electrónico: un reto a la seguridad jurídica* (Coord. García Más, F. J.), 2015

RODRÍGUEZ BENOT, A., "El criterio de conexión para determinar la ley personal: un renovado debate en Derecho Internacional Privado", *CDT*, 2010, VOL. 2, pp. 186-202.

SALINAS HINOJOSA, F. D., "Tokens De Seguridad", *Revista de Información, Tecnología y Sociedad*, núm. 8, 2013, pp. 3-27.

SCHAPPER, P.R.; RIVOLTA, M.; VEIGA, J., "Risk and law in authentication", *Digital evidence and electronic signature law review*, octubre, 2006, núm. 6, pp. 12-18.

SCHMIDT-KESSEN, M. J., "Machines that make and keep promises–Lessons for contract automation from algorithmic trading on financial markets", *Computer Law & Security Review*, Vol. 46, Septiembre 2022.

SEALED, DLA PIPER AND ACROSS COMMUNICATIONS, *Study on the standardisation aspects of eSignature*, Comisión Europea, Bruselas, 2020.

SMEDINGHOFF, T. J., "Solving the legal challenges of trustworthy online identity", *Computer Law & Security Review*, Vol. 28, 2012, pp. 532 – 541.

SRIVASTAVA, A., "Electronic signatures and security issues: An empirical study", *Computer Law & Security Review,* septiembre, 2009, vol. 25, núm.5, pp. 432 – 446.

STALLINGS, W., *Fundamento de seguridad en Redes: Aplicaciones y Estándares,* Ed. Prentice Hall, Madrid, 2014.

STEEL, E.; LOCKE, C.; CADMAN, E., "How much is your personal data worth?", *Financial Times,* 2017.

SULLIVAN, C., "Digital identity – From emergent legal concept to new reality", *Computer Law & Security Review,* 2018, vol. 34, núm. 4, p. 723-731.

SULLIVAN, C.; BURGER, E., "E-residency and blockchain", *Computer Law & Security Review,* 2017, vol. 33, núm. 4, pp. 470-481.

TAUBER, A., "Cross border certified electronic mailing: A European perspective" *Computer & Law & Security Review,* Vol. 29, núm.1, febrero, 2013, pp. 28 – 39.

TOBIAS, M; THOMAS, O., "Risk, responsibility and compliance in circles of Trust", *Computer Law & Security Review,* 2007, vol. 23, núm. 3, pp. 342 – 351.

UNCITRAL, *Continuación de la labor relativa a la contratación automatizada,* Nueva York, 10 a 14 de abril de 2023.

UNCITRAL, *Cuestiones jurídicas relacionadas con la economía digital: la inteligencia artificial,* Nueva York, 6 a 17 de julio de 2020.

UNCITRAL, *Cuestiones jurídicas relacionadas con la economía digital: continuación de la labor relativa a la contratación automatizada y progresos en otros aspectos,* Nueva York, 27 de junio a 15 de julio de 2022.

UNCITRAL, *Cuestiones jurídicas relacionadas con la gestión de la identidad y los servicios de confianza Propuesta presentada por el Reino Unido de Gran Bretaña e Irlanda del Norte,* Nueva York, 24 a 28 de abril de 2017.

UNCITRAL, Cu*estiones jurídicas relacionadas con la gestión de la identidad y los servicios de confianza Términos y conceptos relativos a la gestión de la identidad y los servicios de confianza*, Nueva York, 24 a 28 de abril de 2017.

UNCITRAL, *Cuestiones jurídicas relacionadas con la gestión de la identidad y los servicios de confianza*, Nueva York, 2018.

UNCITRAL, *Cuestiones jurídicas relacionadas con la gestión de la identidad y los servicios de confianza. Propuesta de la Federación de Rusia Mejora del sistema de gestión de la identidad mediante el uso de un entorno transfronterizo de confianza y una infraestructura de confianza común para las operaciones electrónicas transfronteriza*, Nueva York, 24 a 28 de abril de 2017.

UNCITRAL, *Cuestiones jurídicas relacionadas con la gestión de la identidad y los servicios de confianza Propuesta de los Estados Unidos de América*, Nueva York, 24 a 28 de abril de 2017.

UNCITRAL, *Detección y prevención del fraude comercial Indicadores de fraude comercial. Indicadores de fraude comercial Documento preparado por la secretaría de la CNUDMI*, Nueva York, 2013.

UNCITRAL, *Fomento de la confianza en el comercio electrónico: cuestiones jurídicas de la utilización internacional de métodos de autenticación y firma electrónicas*, Nueva York, 2007.

UNCITRAL, Guía jurídica para la incorporación al derecho interno de la LMFE, Nueva York, 2002.

UNCITRAL, Guía para la incorporación al derecho interno de la Ley Modelo de la CNUDMI sobre Comercio Electrónico, Nueva York, 1999.

UNCITRAL, *Informe del Grupo de Trabajo IV (Comercio Electrónico) sobre la labor realizada en su 57° período de sesiones*, Viena, 2017.

UNCITRAL, *Informe del Grupo de Trabajo IV (Comercio Electrónico) sobre la labor realizada en su 57° período de sesiones*, Viena, 2019.

UNCITRAL, Nota explicativa de la Secretaría de la CNUDMI sobre la Convención de las Naciones Unidas sobre la Utilización de las Comunicaciones Electrónicas en los Contratos Internacionales, Nueva York, 2007.

UNCITRAL, *Observaciones explicativas relativas al proyecto de disposiciones sobre el reconocimiento transfronterizo de sistemas de gestión de la identidad y servicios de confianza*, Nueva York, 2019.

UNCITRAL, Panorama general de la gestión de la identidad digital: Documento de antecedentes presentado por el Identity Management Legal TaskForce de la American Bar Association, Viena, 29 de octubre – 2 de noviembre, 2012.

UNCITRAL, Proyecto de disposiciones sobre el reconocimiento transfronterizo de sistemas de gestión de la identidad y servicios de confianza, Nueva York, 5 a 9 de abril de 2021.

UNCITRAL, *Proyecto de disposiciones sobre la utilización y el reconocimiento transfronterizo de sistemas de gestión de la identidad y servicios de confianza. Comunicación del Banco Mundial*, Nueva York, 2020.

UNCITRAL, *Solución de controversias en línea en las operaciones transfronterizas de comercio electrónico*, documento presentado por la Federación de Rusia, Viena, 30 de noviembre a 4 de diciembre de 2015.

UNICTRAL, *Aspectos jurídicos relacionados con la gestión de la identidad y los servicios de confianza*, Nueva York, 2018.

VAN DAALEN, O., "The right to encryption: Privacy as preventing unlawful access," *Computer Law & Security Review*, 2023, núm. 49.

W3C, *Decentralized Identifiers (DIDs) v1.0 Core architecture, data model, and representations. Proposed Recommendation*, agosto, 2021.

WEBER, R. H., "Legal Challenges of Identity Management in the Digital Age", *Journal of International Commercial Law and Technology*, vol. 7, n.º 1, 2012, pp. 12–19.

ZIGO, D., "CJEU: WM and Sovim SA v. Luxembourg Business Registers (Joined Cases C-37/20 and C-601/20): Rethinking Transparency of Ultimate Beneficial Owners Registers", *Bratislava Law Review*, 2023, núm. 7, pp. 227–240.

Normativa

I. UNCITRAL

- Ley Modelo sobre Comercio Electrónico, 1996.
- Ley Modelo sobre Firmas Electrónicas, 2001.
- Convención sobre la Utilización de las Comunicaciones Electrónicas en los Contratos Internacionales, Nueva York, 2005.
- Ley Modelo sobre Documentos Transmisibles Electrónicos, 2017.
- Ley Modelo sobre la Utilización y el Reconocimiento Transfronterizo de la Gestión de la Identidad y los Servicios de Confianza, 2022

II. UNIÓN EUROPEA

- Reglamento (UE) n.º 910/2014, de 23 de julio de 2014, relativo a la identificación electrónica y los servicios de confianza para las transacciones electrónicas en el mercado interior (Reglamento eIDAS).
- Reglamento de Ejecución (UE) 2015/1501, de la Comisión, de 8 de septiembre de 2015, por el que

se establece el marco de interoperabilidad de los sistemas de identificación electrónica.

- Reglamento de Ejecución (UE) 2015/1502, de la Comisión, de 8 de septiembre de 2015, sobre especificaciones mínimas de seguridad de los medios de identificación electrónica.
- Reglamento de Ejecución (UE) 2015/806, de la Comisión, de 22 de mayo de 2015, sobre la forma de la etiqueta de confianza "UE" para servicios de confianza cualificados.
- Reglamento (UE) 2020/1783, de 25 de noviembre de 2020, sobre cooperación en la obtención de pruebas en materia civil y mercantil (refundición del Reglamento 1206/2001).
- Reglamento (UE) 2020/1784, de 25 de noviembre de 2020, sobre notificación de documentos judiciales y extrajudiciales (refundición del Reglamento 1393/2007)
- Reglamento (UE) 1316/2013, por el que se crea el Mecanismo "Conectar Europa", modificado por el Reglamento (UE) 913/2010 y que deroga los Reglamentos 680/2007 y 67/2010.
- Decisión de Ejecución (UE) 2015/296, de la Comisión, de 24 de febrero de 2015, sobre cooperación entre Estados miembros en identificación electrónica.

- Decisión de Ejecución (UE) 2015/1505, de 8 de septiembre de 2015, sobre listas de confianza electrónicas conforme al art. 22.5 del Reglamento Eidas.
- Decisión de Ejecución (UE) 2015/1506, de 8 de septiembre de 2015, sobre formatos de firma electrónica avanzada y sellos electrónicos.
- Decisión de Ejecución (UE) 2016/650, de 25 de abril de 2016, sobre evaluación de seguridad de dispositivos de creación de firmas y sellos cualificados.
- Decisión de Ejecución (UE) 2022/1226, sobre el funcionamiento técnico del sistema e-CODEX, relacionada con el Reglamento 2020/1783.
- Decisión de Ejecución (UE) 2022/1428, sobre especificaciones técnicas para la entrega electrónica cualificada (art. 44 eIDAS y Reglamento 2020/1784)

III. OTROS

- México: Ley de Firma Electrónica Avanzada, Diario Oficial de la Federación, 11 de marzo de 2003.
- Argentina: Ley 25.506 de Firma Digital, Boletín Oficial de la República Argentina, 14 de diciembre de 2001.

- India: Information Technology Act, No. 21 of 2000, Government of India.
- China: Electronic Signature Law of the People's Republic of China, revisada en 2019.
- Estados Unidos: NIST Special Publication 800-63-3 (*Digital Identity Guidelines*), National Institute of Standards and Technology, 2017.
- MERCOSUR: Acuerdo de Reconocimiento Mutuo de Certificados Digitales del MERCOSUR, 2019.